"读原著·学原文·悟原理"丛书

DUYUANZHU XUEYUANWEN WUYUANLI

《1844年经济学哲学手稿》
这样学

孙熙国　张　梧 | 主编

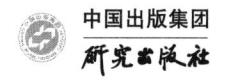

王继华 | 著

中国出版集团
研究出版社

图书在版编目(CIP)数据

《1844年经济学哲学手稿》这样学/王继华著.--北京：研究出版社，2022.4
ISBN 978-7-5199-1182-9

Ⅰ.①1… Ⅱ.①王… Ⅲ.①《1844年经济学哲学手稿》-马克思著作研究 Ⅳ.①A811.21

中国版本图书馆CIP数据核字(2022)第050158号

出 品 人：赵卜慧
出版统筹：张高里　丁　波
责任编辑：范存刚　朱唯唯

《1844年经济学哲学手稿》这样学

1844NIAN JINGJIXUE ZHEXUE SHOUGAO ZHEYANGXUE

王继华　著

研究出版社 出版发行

（100006　北京市东城区灯市口大街100号华腾商务楼）
北京中科印刷有限公司印刷　新华书店经销
2022年4月第1版　2023年1月第3次印刷
开本：787毫米×1092毫米　1/32　印张：4
字数：53千字
ISBN 978-7-5199-1182-9　定价：29.80元
电话（010）64217619　64217612（发行部）

版权所有·侵权必究
凡购买本社图书，如有印制质量问题，我社负责调换。

"读原著·学原文·悟原理"
丛书编委会

编委会主任：

孙熙国　孙蚌珠　孙代尧　张　梧

编委（以姓氏笔画为序）：

王　蔚　王继华　田　曦　任　远

孙代尧　孙蚌珠　孙熙国　朱　红

朱正平　吴　波　李　洁　何　娟

汪　越　张　梧　张　晶　张　懿

余志利　张艳萍　易佳乐　房静雅

金德楠　侯春兰　姚景谦　梅沙白

曹金龙　韩致宁

编委会主任

孙熙国，北京大学马克思主义学院教授、博导，北京大学习近平新时代中国特色社会主义思想研究院常务副院长，北京大学学位委员会马克思主义理论学科分会主席，国家"万人计划"教学名师，中央马克思主义理论研究和建设工程课题组首席专家，国务院学位委员会马克思主义理论学科评议组成员，教育部马克思主义理论类专业教学指导委员会副主任委员。兼任国际易学联合会会长，中国历史唯物主义学会副会长，北京市高教学会马克思主义原理研究会会长。

在《哲学研究》等刊物发表学术论文百余篇，著有《先秦哲学的意蕴》《马克思主义基本原理前沿问题研究》(第一作者)等，主编高校哲学专业统一使用重点教材《中国哲学史》，主编全国高中生统用教科书《思想政治·生活与哲学》《思想政治·哲学与文化》，获首届全国优秀教材一等奖。主持"马藏早期文献与马克思主义在中国的早期传播""马克思主义基本原理的学科对象与理论体系"等国家哲学社会科学重大项目和重点项目。

孙蚌珠,经济学博士,教授。现任北京大学马克思主义学院党委书记、习近平新时代中国特色社会主义研究院副院长。教育部高等学校思想政治理论课教学指导委员会委员总教指委主任委员、"形势与政策"和"当代世界经济和政治"分指导委员会主任委员。马克思主义研究和建设工程首席专家,国家义务教育教科书"道德与法治"编委会主任,国家统编高中思想政治教材《经济与社会》主编、国家中等职业学校思想政治教材编委会主任。中国政治经济学学会副会长、中国《资本论》研究会副会长。主要从事政治经济学、中国特色社会主义经济理论与实践研究,获得过北京市科学技术进步二等奖,是全国首届百名优秀"两课"教师、全国思想政治理论课影响力标兵人物、北京市高等学校教师名师、国家"万人计划"教学名师、享受国务院政府特殊津贴专家。

孙代尧,北京大学法学学士、硕士和博士。现任北京大学博雅特聘教授、社会科学学部学术委员和马克思主义学院学术委员会主任,《北京大学学报(哲学社会科学版)》主编。曾任马克思主义学院副院长、学位委员会主席、教育部高校思政课教学指导委员会委员。

先后入选国务院政府特殊津贴专家、中宣部全国文化名家暨"四个一批"人才、国家"万人计划"第一批哲学社会科学领军人才;担任中央马克思主义理论研究和建设工程专家、中国科学社会主义学会副会长等。

主要从事马克思主义理论、社会主义历史和理论等领域的教学和研究。担任教育部哲学社会科学研究重大课题攻关项目、国家社科基金重大项目首席专家。科研成果曾获北京市哲学社会科学优秀成果一等奖等多个奖项。

张梧,哲学博士。现为北京大学哲学系助理教授、研究员、博士生导师,中国人学学会秘书长、北京大学中国特色社会主义理论体系研究中心研究员、济宁干部政德学院"尼山学者"。主要研究方向是马克思主义哲学史、社会发展理论等。曾著有《马克思恩格斯〈德意志意识形态〉研究读本》《社会发展的全球审视》等学术专著,在《哲学研究》等核心期刊发表论文30余篇。

代序

马克思主义可以这样学

马克思主义应该怎样学？马克思主义经典著作应该怎样读？北京大学马克思主义学院以博士生的"马克思主义经典著作研读"课为抓手，进行了积极的探索，走出了一条"读原著、学原文、悟原理"的新路子，逐步形成了马克思主义理论专业人才培养的"北大模式"。

北京大学具有学习、研究和传播马克思主义的光荣传统。北京大学是中国马克思主义的发祥地，是中国共产党最早的活动基地，是中国马克思主义理论教育的诞生地。1920年，李大钊在北大开设了"唯物史观""工人的国际运动与社会主义的将来""社会主义与社会运动"等马克思主义理论课程和专题讲座，带领学生阅读马克思主义经典著作，公开讲授和宣传马克思主义。李大钊在北大所做的这些工作，与拉布里奥拉在意大利罗马大学、布哈林在苏俄红色教授学院、河上肇在日本京都帝国大学进行的马克思主义理论教学和研究工作，共同开启了马克思主义理论进入高校课堂的先河。

一百多年过去了，一代代的北大人始终把学习研究和宣传马克思主义作为自己的崇高使命，始终把马克思主义经典著作的学习研读作为教育教学的一项重要内容。2014年5月4日，习近平在北京大学师生座谈会上的讲话中指出，北京大学是新文化运动的中心和五四运动的策源地，是这段光荣历史的见证者。长期以来，北京大学广大师生始终与祖国和人民共命运、与时代和社会同前进，在各条战线上为我国革命、建设、改革事业作出了重要贡献。2018年5月2日，习近平总书记在北京大学考察时指出，北京大学是中国最早传播和研究马克思主义的地方。中国共产党的主要创始人和一些早期著名活动家，正是在北大工作或学习期间开始阅读马克思主义著作、传播马克思主义的，并推动了中国共产党的建立。这是北大的骄傲，也是北大的光荣。由此我们可以看到，北大具有学习研究和传播马克思主义的光荣传统，具有与祖国和人民共命运、与时代和社会同前进的光荣传统，具有爱国、进步、民主、科学的光荣传统。因此，如果要讲北大传统，首先就是马克思主义的传统；如果要讲北大精神，首先就是马克思主义的精神。北大学习研究和传播马克思主义的精神和传统始终与马克思主义经典著作的研读和学习紧紧结合在一起。

2018年5月2日，习近平总书记视察北大马克思主义学院时指出："高校马克思主义学院就是要坚持'马院姓马，在马言马'的鲜明导向和办学原则，为巩固马克思主义在意识形态领域的指导地位，推动马克思主义进校园、进课堂、进学生头脑，发挥应有作用。"在习近平总书记重要讲话精神的指导下，北京大学马克思主义学院逐步确立了以"埋首经典，关注现实"为基本理念、以马克思主义经典文献学习研读为重要内容的马克思主义卓越人才培养的"北大模式"。其中加强和完善"马克思主义经典著作研读"课程，并对研究生、特别是博士研究生进行马克思主义经典著作的中期考核成为北大博士生培养的一个重要环节。

北京大学马克思主义学院的学生究竟怎样学习马克思主义基本原理？怎样阅读马克思主义经典著作呢？

习近平总书记指出："学习理论最有效的办法是

读原著、学原文、悟原理。"要学好马克思主义理论，就必须要读马克思主义经典作家的原著，学马克思主义经典作家的原文，悟马克思主义基本原理。一句话，就是必须要学好马克思主义经典著作。"马克思主义经典著作"这门课一直是我国高校马克思主义学院研究生的核心课程。北大给硕士生开设的马克思主义经典著作课叫"马克思主义经典著作导读"，给博士生开设的马克思主义经典著作课叫"马克思主义经典著作研读"。我负责博士生的"马克思主义经典著作研读"课始自2010年秋季。一开始是我一个人讲，后来孙蚌珠、孙代尧老师加入进来，再后来马克思主义基本原理所、马克思主义发展史所的老师们也陆续加入到了本课程的教学和研究工作中。博士生的"马克思主义经典著作研读"课程的学习时间是一年，学习阅读的文本有30多篇。北大学习研读经典文本的基本方式是在学习某一文本之前，先由学生来做文献综述，通过文献综述把这一文本的文献概况、主要内容、学界争论的焦点问题、学者研究的基本方法和形成的基本范式梳理概括出来。呈现给读者的这套《读原著、学原文、悟原理》丛书，就是北京大学马克思主义学院2016级博士生在"马克思主义经典著作研读"课程学习过程中,在授课老师指导下围绕所学的马克思恩格斯经典文本完成的成果结集。授课教师从2016级博士生的研读成果中精选出了优秀的研究成果,经反复修改完善,以"读原著、学原文、悟原理"作为丛书书名出版。

本丛书收录了从马克思高中毕业撰写的三篇作文到恩格斯晚年撰写的《路德维希·费尔巴哈和德国古典哲学的终结》等代表性著述20余篇。这20篇著作是北京大学马克思主义学院马克思主义理论一级学科各专业和政治经济学、科学社会主义与国际共产主义运动专业博士生必修课"马克思主义经典著作研读"的必学书目。丛书作者对这20余篇著作的研究状况和研究内容的梳理、概括和总结,基本上反映了北大"马克思主义经典著作研读"课程的主要内容,展现了北大马克思主义学院博士生学习研读马克思主义经典著作的基本情况,是北大博士生阅读马克思主义经典文本、学习马克思主义基本原理的一个缩影。在某种意义上说,这些成果体现了北大马克思主义学院博士生学习马克思主义经典著作的基本方式。因此,我们可以自豪地说,马克思主义经典文本可以"这样读",马克思主义基本原理可以"这样学"。

本书对马克思恩格斯每一时期文本的介绍和阐释主要是围绕以下四个方面的内容展开的。一是对马克思恩格斯这一文本的写作、出版和传播等主要情况的介绍和说明，二是对这一文本的主要内容的介绍和提炼，三是对国内外学者关于这一文本研究的基本方法、形成的基本范式和切入点的概括总结，四是对国内外学者在这一文本研究过程中所涉及到的一些具有争议性的问题或焦点问题的梳理和辨析。在每一章的后面，作者又较为详细地列出了该文本研究的主要参考文献，也就是关于每一个文本的代表性研究成果。本书力图从以上四个方面入手，尽可能客观全面地展示国内外学者关于马克思恩格斯这些经典文本的研究状况、研究结论和研究方法，以期对马克思主义学院师生学习、研读马克思主义经典著作提供参考和借鉴。

马克思主义理论是我们做好一切工作的看家本领，也是领导干部必须普遍掌握的工作制胜的看家本领。我们期望这套20本的"读原著、学原文、悟原理"丛书能够在这方面给大家提供一些积极的启示和有益的帮助。

孙熙国
2022.2

目 录 | CONTENTS

一、文献写作概况　　001

二、文献内容概要　　006

三、研究范式　　020

四、焦点问题　　038

一、文献写作概况

1844年4月到8月，马克思在巴黎撰写了《1844年经济学哲学手稿》（本篇简称《手稿》）。《手稿》虽然是一部残缺不全的笔记，但在马克思主义形成的过程中却扮演着重要的角色，并为后来的学者们解读马克思主义提供了重要依据。《手稿》的诞生有着深刻的现实根源和理论依据。

首先，从当时的社会发展现实来看，19世纪三四十年代的欧洲，工人运动不断爆发，迫切需要科学理论的指导。

随着工业革命的发展，工人阶级的队伍不断扩大。同时，由于资本家对资本利益的追求，残酷压榨劳动群体，迫使工人阶级不得不进行反抗。1831年和1834年，法国里昂工人为反对资本主义的剥削压迫奋起反抗，发动了两次武装起义；1836—1848年，英国工人为争取政治权利，发动了著名的宪章运动；1844年6月，德国西里西亚爆发纺织工人起义。欧洲的三大工人运动虽然遭到了不同程度的镇压,但却标志着无产阶级作为一支独立的政治力量登上了历史舞台,同时也证明了无产阶级伟大的历史作用。工人运动让马克思看到无产阶级是人的解放的心脏。

在工人通过实际行动争取自身权益的同时,却缺乏科学的理论指导。虽然当时的共产主义和社会主义理论指出了资本主义生产方式的矛盾,与之前的乌托邦主义已有所不同,但"这些学说本身还没有科学的形态,它的理论还是建立在旧唯物主义、抽象的理性和人性等基础之上的,有的甚至带有浓厚的宗教神秘主义的色彩"[①]。这样的理论无法为资本主义社会矛盾的解决提供科学的理论基础。

其次,从马克思的个人经历来看,1843年10月,马克思迁居巴黎后,积极参加工人运动,对资本主义制度进行了细致的考察,这为《手稿》的写作奠定了现实基础。

与当时的德国相比,巴黎的资本主义经济更为发达,无产阶级的斗争更为活跃。来到巴黎后,马

---

① 杨适:《马克思〈经济学——哲学手稿〉述评》,人民出版社1982年版,第12页。

克思与工人们联系密切,亲身接触了资本主义的现实基础。"马克思到了巴黎以后,不仅和'正义者同盟'的领导人和成员建立了联系,而且和法国的各种秘密团体建立了联系。马克思积极参加了各种各样的工人集会,并且在会上发表演讲。"① 这样的经历是推动马克思研究和批判资本主义制度的直接动因。

最后,从马克思的理论研究历程来看,《德法年鉴》停刊后,马克思开始了对经济学的研究,这为《手稿》的写作奠定了理论基础。

马克思早年对哲学问题进行了大量的研究,转向对政治经济学的研究离不开在《莱茵报》工作的经历。在《莱茵报》工作时期,马克思对现实生活有了更多的接触。现实社会中存在的问题,是促使马克思进行政治经济学研究的最初动因。"1842—1843年间,我作为《莱茵报》的编辑,第一次遇到要对所谓物质利益发表意见的难事。莱茵省议会,关于林木盗窃和地产分析的讨论,当时的莱茵省总督冯·沙培尔先生就摩泽尔农民状况同《莱茵报》

---

① 阎树森:《创立马克思主义理论体系的开端——〈1844年经济学哲学手稿〉的解释与探讨》,求实出版社1987年版,第6页。

展开的官方论战，最后，关于自由贸易和保护关税的辩论，是促使我去研究经济问题的最初动因。"① 在此之前，马克思由于受到黑格尔的影响，并未认识到是市民社会决定国家。而在面对现实问题时，马克思发现，当物质利益和国家及法的关系发生冲突时，物质利益才是起决定性作用的，青年黑格尔派的理性主义国家概念在私有财产面前不堪一击。因此，马克思着手批判黑格尔的法哲学观念。通过对黑格尔国家学说以及法国革命史的研究，马克思认识到了私有财产的重要作用。

在为《德法年鉴》撰稿时，马克思发现对现实社会的分析离不开对政治经济学的研究。"法的关系正像国家的形式一样，既不能从它们本身来理解，也不能从所谓人类精神的一般发展来理解，相反，它们根源于物质的生活关系，这种物质的生活关系的总和，黑格尔按照18世纪的英国人和法国人的先例，概括为'市民社会'，而对市民社会的解剖应该到政治经济学中去寻求。"②

从《手稿》的序言来看，《德法年鉴》停刊后，

---

① 《马克思恩格斯文集》第1卷，人民出版社2009年版，第588页。
② 《马克思恩格斯文集》第2卷，人民出版社2009年版，第591页。

马克思原本决定继续批判黑格尔的法哲学。但他发现把针对黑格尔思辨哲学的批判和针对政治、法律、道德等的实际批判混合在一起，会造成阐述和理解上的困难。于是，马克思打算通过撰写独立的小册子来批判资产阶级的法、道德和政治等。因此，在1844年马克思转向剖析市民社会，通过对政治经济学的研究，来探索导致无产阶级处于悲惨地位的原因和解决途径。但由于种种原因，这个计划没有实现。而前期准备的笔记和手稿却部分地保存了下来，这些材料也就是我们现在所看到的《巴黎手稿》。

在此期间，为了解决现实和理论上的困惑，马克思研究了大量经济学家的著作。根据麦克莱伦的研究，从1843年秋开始，马克思一直在断断续续地阅读和摘录经济学家的观点，包括布阿吉尔贝尔、魁奈、詹姆斯·穆勒、萨伊等。同时，马克思还受到魏特林、赫斯和恩格斯等人的影响。尤其是恩格斯对马克思的政治经济学研究产生了重要的推动作用，"恩格斯发表于《德法年鉴》上的题为《国民经济学批判大纲》的文章给马克思留下了极为深刻的印象"①。马克思对《国民经济学批判大纲》给予了高度的评价，称其为"天才的大纲"，"对它的阅读标志着马克思一生中真正开始对经济学问题发生兴趣"。②国内学者阎树森也指出，"恩格斯写的《政治经济学批判大纲》，对马克思发生了极大影响。在恩格斯的直接影响下，马克思开始自觉地创建无产阶级的革命理论时，起步就把自己理论研究工作的中心，转移到系统地研究政治经济学了"。③此外，马克思还研究了蒲鲁东的《什么是财产？》、赫斯的《论货币的本质》等著作。

二、文献内容概要

从《手稿》的内容来看，马克思主要通过对资产阶级政治经济学和黑格尔哲学的批判性分析，阐述了他关于哲学、政治经济学和共产主义的观点。

关于《手稿》的具体内容排版主要分为两类。一类依据原始稿本的写作时间和编排方式，将《手

---

①② ［英］戴维·麦克莱伦：《卡尔·马克思传》，王珍译，中国人民大学出版社2016年版，第99页。
③ 阎树森：《创立马克思主义理论体系的开端——〈1844年经济学哲学手稿〉的解释与探讨》，求实出版社1987年版，第9页。

稿》分为笔记本Ⅰ、笔记本Ⅱ和笔记本Ⅲ。笔记本Ⅰ用罗马数字分为了五个部分，主要是对经济学著作的摘录和解释。第Ⅰ部分以工资、资本的利润和地租为依据分为三竖栏；第Ⅱ部分分为资本的利润和地租两栏；第Ⅲ部分分为工资和资本的利润两栏；第Ⅳ部分是地租；第Ⅴ部分是工资、资本的利润和地租，但已不再采取分栏的写法。笔记本Ⅱ由于遗失，残缺不全。笔记本Ⅲ用罗马数字分为了九个部分，其中第Ⅷ部分是序言。1982年新出版的《马克思恩格斯全集》历史考证版第一部分第2卷在发表《手稿》时，为读者呈现了按照写作时间和写作阶段编排的版本。2014年由人民出版社出版的《1844年经济学哲学手稿》单行本刊出了这一版本的中文版，为学术界的研究提供了理论依据。

另一类排版方式主要依据《手稿》的逻辑结构和思想内容，分为序言、笔记本Ⅰ、笔记本Ⅱ和笔记本Ⅲ，并且添加了标题。在《马克思恩格斯文集》第1卷中收录的《手稿》主要依据的是这个版本。

在《手稿》的第二种版本中，首先呈现在我们眼前的是序言部分。在这部分中，马克思主要介绍了写作原因和计划、批判对象和方法，提出了分析黑格尔辩证法和整个哲学的必要性。

马克思从《德法年鉴》的研究入手，说明了写作的原因。在《德法年鉴》上，马克思曾预告要以黑格尔法哲学批判的形式对法学和国家学进行批判。但是，到达巴黎后，通过和工人的接触以及对政治经济学的研究，马克思发现对资本主义社会的法、道德、政治的批判需要立足于对经济规律的研究的基础之上。马克思指出："把仅仅针对思辨的批判同针对不同材料本身的批判混在一起，十分不妥，这样会妨碍阐述，增加理解的困难。"[1] 此外，由于马克思要探讨的题目比较广泛，只有通过格言式的简要叙述，才能把全部材料压缩在一本著作中，而这种方式又会造成任意制造体系的外观。因此，马克思"打算用不同的、独立的小册子来相继批判法、道德、政治等等，最后再以一本专门的著作来说明整体的联系、各部分的关系，并对这一切材料的思辨加工进行批判"。[2] 但是，马克思最终并没有完成这项写作计划。根据《马克思恩格斯文集》第1卷

---

[1][2] 《马克思恩格斯文集》第1卷，人民出版社2009年版，第111页。

中的注释，马克思没有写这些小册子，可能因为他后来认为，在对各种社会（其中包括资产阶级社会）的基础——生产关系做出科学的分析以前，要对法、道德、政治和上层建筑的其他范畴的问题进行独立的科学的考察是不可能的。

紧接着，马克思限定了批判的对象，"在本著作中谈到的国民经济学同国家、法、道德、市民生活等的联系，只限于国民经济学本身专门涉及的这些题目的范围"。① 随后，马克思指出了分析资本主义社会使用的方法和资料，"我的结论是通过完全经验的、以对国民经济学进行认真的批判研究为基础的分析得出的"② "除了法国和英国的社会主义者的著作以外，我也利用了德国社会主义者的著作"③ "对国民经济学的批判，以及整个实证的批判，全靠费尔巴哈的发现给它打下真正的基础"④。马克思借助对国民经济学者的著作、社会主义学者的著作以及费尔巴哈的研究，对国民经济学进行了批判。

在序言的最后一部分，马克思明确提出对黑格

---

①② 《马克思恩格斯文集》第1卷，人民出版社2009年版，第111页。
③④ 《马克思恩格斯文集》第1卷，人民出版社2009年版，第112页。

尔的辩证法和整个哲学的剖析是必要的,"因为当代批判的神学家不仅没有完成这样的工作,甚至没有认识到它的重要性"①。在这里,马克思重点批判了以布·鲍威尔为首的"神圣家族"的唯心主义哲学。马克思指出"批判的神学家"对黑格尔的批判实际上是在坚持黑格尔的基本观点。"他或者不得不从作为权威的哲学的一定前提出发,或者当他在批判的过程中以及由于别人的发现而对这些哲学前提产生怀疑的时候,就怯懦地和不适当地抛弃、撇开这些前提,仅仅以一种消极的、无意识的、诡辩的方式来表明他对这些前提的屈从和对这种屈从的恼恨。"②马克思承认鲍威尔等人对宗教的批判起初具有一定的积极意义,但是归根结底不外是旧哲学的,并没有超出黑格尔哲学。

笔记本Ⅰ主要是关于古典经济学的工资、资本的利润和地租的摘录以及相关的一些评注。

在工资部分,马克思指出:工资取决于资本家和工人之间的敌对斗争。在这场斗争中,胜利必定

---

① 《马克思恩格斯文集》第1卷,人民出版社2009年版,第112页。
② 《马克思恩格斯文集》第1卷,人民出版社2009年版,第112—113页。

是属于资本家的。马克思从经济关系入手分析了产生这种现象的根本原因在于资本、地租和劳动的分离。工人除了劳动所得，既无地租也无利息。马克思看到，无论在何种状态下，吃亏的总是工人，"在社会的衰落状态中，工人的贫困日益加剧，在增长的状态中，贫困具有错综复杂的形式，在达到完满的状态中，贫困持续不变"。[1] 在分析了工人在资本主义制度下总是处于贫困的地位后，马克思进一步揭示了国民经济学的局限性，分析了资产阶级经济学家的诸多自相矛盾的理论。马克思指出，国民经济学家把无产者仅仅当作工人来考察，而不把工人作为人来考察。在工资部分的最后，马克思提出了两个问题："（1）把人类的最大部分归结为抽象劳动，这在人类发展中具有什么意义？（2）主张细小改革的人不是希望提高工资并以此来改善工人阶级的状况，就是（像蒲鲁东那样）把工资的平等看做社会革命的目标，他们究竟犯了什么错误？"[2] 为了回答这两个问题，马克思摘录评注了威·舒尔茨的《生产运动》、康·贝魁尔的《社会经济

---

[1] 《马克思恩格斯文集》第1卷，人民出版社2009年版，第122页。
[2] 《马克思恩格斯文集》第1卷，人民出版社2009年版，第124页。

和政治经济的新理论，或关于社会组织的探讨》、查·劳顿《人口和生计问题的解决办法》和欧·比雷的《论英法工人阶级的贫困》，主要描述了工人的悲惨处境，论证了劳动在国民经济学家的眼中只是一种谋生活动，工人只是一种劳动的动物。

在资本的利润部分，马克思通过摘录评注资产阶级经济学家的观点，从四个方面论述了对利润的看法，包括：资本、资本的利润、资本对劳动的统治和资本家的动机、资本的积累和资本家之间的竞争。马克思指出，资本是对他人劳动的私有权，是对劳动及其产品的支配的权力，是积蓄的劳动。与亚当·斯密一样，马克思也认为，并不是所有的资金都能叫作资本，"资金只有当它给自己的所有者带来收入或利润的时候，才叫作资本"。[①]关于资本的利润，马克思在这里主要引用了亚当·斯密的《国富论》中的观点。借助亚当·斯密的论述，马克思通过区分资本的利润和工人的工资之间的差别，揭示了资本家的利润实际上是对工人劳动的无偿占有。马克思进一步指出："在对自然产品加工

---

① 《马克思恩格斯文集》第1卷，人民出版社2009年版，第130页。

和再加工时人的劳动的增加,不是使工资增加,而是一方面使获利资本的数额增加,另一方面使每一笔后来的资本比先前的资本增大。"① 在论述资本对劳动的统治和资本家的动机时,马克思摘录了亚当·斯密的观点,并且未做任何评论和说明。引用的这部分内容主要说明了资本家进行投资的唯一动机就是追逐利润。此外,马克思分析了积累和竞争的关系。资本家们为了获得更多的利润,积累更多的资本,将会展开激烈的竞争。积累和竞争的最终结果是资本的垄断。在这种情况下,工人必定会遭到资本家更严酷的剥削。

在地租部分,马克思首先分析批判了亚当·斯密的地租理论。在亚当·斯密看来,地租是一种垄断价格,与改良土地的费用并不成比例,地租主要由土地的肥力和位置等决定。针对斯密的观点,马克思指出:"国民经济学颠倒概念,竟把土地富饶程度变成土地占有者的特性。"② 在现实社会中,地租实际上是"通过租地农场主和土地所有者之间的

---

① 《马克思恩格斯文集》第1卷,人民出版社2009年版,第132页。
② 《马克思恩格斯文集》第1卷,人民出版社2009年版,第143页。

斗争确定的"。① 其次，马克思揭示了土地所有者如何榨取社会的一切利益。在土地所有者内部，马克思认为也会因为竞争导致地产的进一步集中，这个过程同时也是地产资本化的过程，具有客观必然性。在马克思看来，"地产这个私有财产的根源必然完全卷入私有财产的运动而成为商品"②，最终地产也会以资本的形式统治工人阶级以及所有者本身。在这部分，马克思还探讨了地产的分割问题，在马克思看来，地产的分割并不能消灭垄断的基础，即私有制。进行地产分割的地方，或者会回到具有更加丑陋形态的垄断，或者会否定地产分割本身，"但是，这不是回到封建的土地所有制，而是扬弃整个土地私有制"③。最后，马克思指出，"工业必然以垄断的形式和竞争的形式走向破产，以便学会信任人，同样，地产必然以这两种方式中的任何一种方式发展起来，以便以这两种方式走向必不可免的灭亡"。④

---

① 《马克思恩格斯文集》第1卷，人民出版社2009年版，第144页。
② 《马克思恩格斯文集》第1卷，人民出版社2009年版，第151页。
③ 《马克思恩格斯文集》第1卷，人民出版社2009年版，第152页。
④ 《马克思恩格斯文集》第1卷，人民出版社2009年版，第154—155页。

在笔记本Ⅰ的最后一部分，马克思主要阐述了他对异化劳动和私有财产的看法。马克思指出，劳动即自由自觉的活动，是人类的本质，但在资本主义社会中，劳动发生了异化。所谓异化劳动，即劳动产品和劳动对象作为异于劳动者的存在物存在，而不属于劳动者。异化劳动作为一个过程，有四个方面的规定：第一，人与自己的劳动产品相异化。劳动产品是劳动的结晶，是人的本质的对象化，劳动产品作为人的创造物本应属于劳动者。可是，在资本主义生产中，工人不仅不能占有劳动产品，反而在产品中丧失自己，不断"成为自己对象的奴隶"，"劳动所生产的对象，即劳动的产品，作为一种异己的存在物，作为不依赖于生产者的力量，同劳动相对立"。① "工人对自己的劳动产品的关系就是对一个异己的对象的关系"。② 第二，人与自己的劳动活动本身相异化。在马克思看来，真正的劳动应该是一种自由自觉的活动，是生命本质的体现。可是，在资本主义社会，工人的劳动过程并非如此。"他在自己的劳动中不是肯定自己，而是

---

① 《马克思恩格斯文集》第1卷，人民出版社2009年版，第156页。
② 《马克思恩格斯文集》第1卷，人民出版社2009年版，第157页。

否定自己，不是感到幸福，而是感到不幸，不是自由地发挥自己的体力和智力，而是使自己的肉体受折磨、精神遭摧残。"① 第三，人与人的类本质相异化。马克思认为异化劳动导致"人的类本质，无论是自然界，还是人的精神的类能力，都变成了对人来说是异己的本质，变成了维持他的个人生存的手段"②。第四，人与人相异化。在马克思看来，当一个人分别同自己的劳动产品、劳动活动和类本质处于异化、对立状态时，其直接后果必然是人与人相异化。随后，马克思又探讨了私有财产和异化劳动的关系。

笔记本Ⅱ的遗失较为严重，现在所能看到的是一个简短的片段，这部分主要讨论了劳动、资本和私有财产等问题。在保留下来的这部分笔记中，马克思首先阐述了资本和工人的劳动之间的关系。在资本主义条件下，"工人不幸而成为一种活的、因而是贫困的资本，这种资本只要一瞬间不劳动便失去自己的利息，从而也失去自己的生存条件"③。劳

---

① 《马克思恩格斯文集》第1卷，人民出版社2009年版，第159页。
② 《马克思恩格斯文集》第1卷，人民出版社2009年版，第163页。
③ 《马克思恩格斯文集》第1卷，人民出版社2009年版，第170页。

动成为一种受市场供求规律支配的商品，当工人的劳动出卖给资本家之后，劳动的一部分将转化为资本家的资本。在此过程中，工人的工资，在国民经济学家看来，能维持工人在劳动期间的生活需要并保持工人后代不致死绝即可。随后，马克思从分析地租问题入手，对资本主义私有财产的产生、发展和灭亡进行了阐述。在马克思看来，资本主义所有制代替封建土地所有制具有客观必然性，"资本家必然战胜土地所有者，也就是说，发达的私有财产必然战胜不发达的、不完全的私有财产"。[1]在这部分中马克思还指出："私有财产的关系是劳动、资本以及二者的关系。"[2]这种关系将必定要经历对立统一的运动。

在笔记本Ⅲ中，马克思研究了私有财产和劳动、私有财产和共产主义，对黑格尔辩证法和整个哲学进行了分析，对私有财产和需要进行了阐述。此外，马克思对分工以及货币等也提出了一些个人的观点。

笔记本Ⅲ首先从两个方面对笔记本Ⅱ进行了补

---

[1] 《马克思恩格斯文集》第1卷，人民出版社2009年版，第176页。
[2] 《马克思恩格斯文集》第1卷，人民出版社2009年版，第177页。

充。第一部分是关于私有财产和劳动的内容。在这部分马克思肯定了亚当·斯密关于私有财产和劳动之间的关系的理论,马克思写道:"私有财产的主体本质,私有财产作为自为地存在着的活动、作为主体、作为人,就是劳动。"① 把劳动视为自己的原则的亚当·斯密的理论,是反映了资本主义经济运动规律的意识。随后马克思阐述了国民经济学的局限性,依据对私有财产和劳动问题的分析,马克思指出:"以劳动为原则的国民经济学表面上承认人,其实是彻底实现对人的否定,因为人本身已不再同私有财产的外在本质处于外部的紧张关系中,而是人本身成了私有财产的这种紧张的本质。"② 在马克思看来,国民经济学的理论实际上是敌视人的。在这部分,马克思还阐述了李嘉图学派、重农学派等学派的观点,客观地分析了其中的进步性及其历史局限性。

第二部分的补充涉及:私有财产和共产主义、对黑格尔的辩证法和整个哲学的批判、私有财产和需要。在这个片段的开头,马克思指出,在资本主

---

① 《马克思恩格斯文集》第1卷,人民出版社2009年版,第178页。
② 《马克思恩格斯文集》第1卷,人民出版社2009年版,第179页。

义社会以前，无产和有产的对立还只是一种无关紧要的对立，不是作为矛盾来理解的对立。但是当私有财产发展到资本主义阶段时，"作为对财产的排除的劳动，即私有财产的主体本质，和作为对劳动的排除的资本，即客体化的劳动，——这就是作为发展了的矛盾关系，因而也就是作为促使矛盾得到解决的能动关系的私有财产"①。随后，马克思分析了当时流行的共产主义学说，并阐述了他对共产主义的理解。马克思认为，共产主义是对私有财产即人的自我异化的积极的扬弃。在批判黑格尔的辩证法和整个哲学的过程中，马克思先是批判了当时青年黑格尔派的观点，马克思指出"现代德国的批判，着意研究旧世界的内容，而且批判的发展完全拘泥于所批判的材料，以致对批判的方法采取完全非批判的态度"②。然后，马克思评价了费尔巴哈的历史功绩，最后对黑格尔哲学进行了剖析。在私有财产和需要这部分，马克思对比分析了社会主义条件下和资本主义条件下的需要。在资本主义社会中，必须把一切都变成可以出卖的，一切都商品化了。

---

① 《马克思恩格斯文集》第1卷，人民出版社2009年版，第182页。
② 《马克思恩格斯文集》第1卷，人民出版社2009年版，第197页。

在《手稿》的最后还涉及了对分工和货币问题的摘录及评注。马克思认为对分工和交换的研究很有意义,并指出:"断言分工和交换以私有财产为基础,不外是断言劳动是私有财产的本质,国民经济学家不能证明这个论断而我们则愿意替他证明。分工和交换是私有财产的形式,这一情况恰恰包含着双重证明;一方面人的生命为了本身的实现曾经需要私有财产;另一方面人的生命现在需要消灭私有财产。"① 在货币部分,马克思先是论述了感觉、实践在唯物主义本体论中的作用,然后又论述了货币异化的问题。

《手稿》虽然是残缺不全的笔记,但也正因为如此,《手稿》为后来学者们的研究提供了重要的依据及广阔的空间。

三、研究范式

在马克思和恩格斯生前,《手稿》并未发表。1927年,梁赞诺夫经过整理将《手稿》的笔记本Ⅲ发表在《马克思恩格斯文库》的第3卷附录中。

---

① 《马克思恩格斯文集》第1卷,人民出版社2009年版,第241页。

1932年，苏联马克思恩格斯研究院首次将《手稿》的全文收录在《马克思恩格斯全集》中。《手稿》的发表，引起了大家的热烈讨论。在各国学者的广泛解读中，关于《手稿》的研究形成了若干范式。

（一）西方马克思主义学派的解读范式

第一次世界大战后，俄国通过十月革命实现了无产阶级专政，并在后来的社会主义建设中形成了高度集中的中央集权体制。与此同时，欧洲部分发达资本主义国家的无产阶级也发起了革命运动，但最终却以失败告终。面对战后错综复杂的新情况，西方马克思主义学者另辟蹊径，对马克思主义进行了新的阐释。1932年，《手稿》的全文发表为其提供了重要的论证支撑。有学者以《手稿》为依据将马克思的思想定位为人道主义理论，也有学者借此将马克思的思想分为青年时期和老年时期。从西方马克思主义学者对《手稿》的整体评价来看，其解读主要分为以下两种范式。

1. "人本学的马克思主义"范式

对《手稿》的人本学解读范式主要指西方法兰克福学派的研究成果。这种研究范式以《手稿》为重要依据，突出了马克思思想中的人本学特色，将马克思的思想统一定位为人道主义思想。

1932年《手稿》刚出版，法兰克福学派的代表人物之一马尔库塞就写下了《历史唯物主义的基础》，对《手稿》的内容进行了解读，对马克思的思想提出了新的看法，明确提出《手稿》的发表"将成为马克思主义研究史上的一个划时代的事件。这些手稿使关于历史唯物主义的由来、本来含义以及整个'科学社会主义'理论的讨论置于新的基础之上"①，这个基础就是人道主义。马尔库塞指出，在资本主义社会中，主要存在的问题不仅仅是经济事实，而主要是整个人的存在，是"人的事实"。这种现实构成了无产阶级进行革命的根本要求，"它表现为人的本质遭到歪曲，人的现实性丧失殆尽。只有在这一基础上，经济事实才能成为革命的真正的基础，这种革命将真正地改变人的本质和人的世界"。②在马尔库塞看来，马克思所论述的

---

① ［美］赫·马尔库塞：《历史唯物主义的基础》，复旦大学哲学现代西方哲学研究室译，载《西方学者论〈1844年经济学哲学手稿〉》，复旦大学出版社1983年版，第93页。
② ［美］赫·马尔库塞：《历史唯物主义的基础》，复旦大学哲学系现代西方哲学研究室译，载《西方学者论〈1844年经济学哲学手稿〉》，复旦大学出版社1983年版，第99页。

共产主义就是消灭了物化和异化的人本主义，共产主义的基础就是人的本质的某种实现。马尔库塞以人的学说统一了马克思的所有观点，将哲学、经济学和革命实践作为一个整体进行研究，在一定程度上保证马克思思想的整体性。

法兰克福学派的另一个代表人物弗洛姆也对《手稿》进行了人道主义解读。弗洛姆明确提出："在《经济学—哲学手稿》中马克思所表达的关于人的基本的思想和在《资本论》中所表达的老年马克思的思想之间并没有发生根本的转变。"[①] 弗洛姆认为，马克思不仅在《手稿》中强调了人道主义思想，同样在《资本论》中，马克思也注意到了培养人的全面发展的重要意义，也注意到了"人的支离破碎"是异化过程的结果。从马克思思想的整体发展来看，弗洛姆认为马克思的某些思想和概念可能发生了些许改变，但是"由青年马克思发展起来的哲学的核心决没有改变，并且除非以他在其早期著作中所发展起来的关于人的概念为基础，就不可能

---

① ［美］埃·弗洛姆:《马克思关于人的概念》,复旦大学哲学系现代西方哲学研究室译,载《西方学者论〈1844年经济学哲学手稿〉》,复旦大学出版社1983年版,第78页。

理解他后来所发展的关于社会主义的概念,以及对资本主义的批判"①。

由此可以看出,法兰克福学派对马克思思想中人道主义因素的高度重视导致了他们对《手稿》的人本学解读。之所以会产生这种解读,学者苗启明指出:"西方学者把《手稿》的核心精神理解为人道主义或人本主义,把它与辩证唯物主义、历史唯物主义、科学社会主义为基础的正统马克思主义对立起来,是有它的思想政治深意的,那就是反对斯大林的专制集权制度。"②法兰克福学派的这种解读方式在张秀琴教授看来,其贡献包括五个方面:一是肯定"巴黎手稿"在马克思思想形成史中的应有地位和意义;二是承认"巴黎手稿"时期马克思思想的哲学维度以及这一维度的黑格尔主义因素(虽然对后者的程度大小,学者们的意见并非完全一致);三是认为异化(劳动)理论是"巴黎手稿"时期马克思思想的核心概念;四是将"巴黎手稿"

---

① [美]埃·弗洛姆:《马克思关于人的概念》,复旦大学哲学系现代西方哲学研究室译,载《西方学者论〈1844年经济学哲学手稿〉》,复旦大学出版社1983年版,第86页。
② 苗启明:《〈巴黎手稿〉开创的人类学哲学及其后续发展》,中国社会科学出版社2017年版,第2页。

时期的马克思的上述思想归结为一种人道主义或人本主义，即强调人以其行动或实践活动所表现出来的主体能动性，这同时也是马克思主义革命属性和政治属性的彰显之处；五是一般都认为上述所有这些思想在马克思后期著述中并未完全消失，虽然这并不意味着可以用早期替代后期思想，即他们大多主张一方面马克思青年时期思想和晚年时期思想之间的一致性和连续性而不是彼此替代或覆盖，另一方面也不是完全相同、没有丝毫变化或提升，将马克思《资本论》中的拜物教理论视为"巴黎手稿"时期的异化理论的继续贯彻乃至提升就是明例。①客观来看，法兰克福学派的解读范式在当时为研究马克思思想提供了一种新的视角，并有力地回击了马克思是"暴力专制"的错误观点。但只看到《手稿》中的人道主义思想而忽视其他理论内涵，并且以此统一马克思的所有思想，显然是有失偏颇的。

2."两个马克思"范式

随着对《手稿》的进一步研究，西方一些学者提出了与法兰克福学派不同的观点，将马克思的思

---

① 张秀琴：《政治经济学批判与西方马克思主义——以1930—40年代对"巴黎手稿"的人本主义解读为例》，载《现代哲学》2018年第1期。

想划分成了截然不同的两个阶段。在《马克思以后的马克思主义》中，麦克莱伦指出："1930年以后，许多马克思主义者异乎寻常地突出了人道主义与异化这两个概念，接着又就'青年'马克思与'老年'马克思谁是真的马克思的问题，展开了一场旷日持久的论战。"①

麦克莱伦提到的这场论战，一种观点的出发点是将《手稿》视为马克思的巅峰之作。例如《手稿》德文版的最初出版者朗兹胡特和迈尔，对《手稿》就给予了高度评价，认为"手稿表明马克思的观点已达到了完善的高度……是包括马克思思想的整个范围的唯一文献"。②与此相类似的是，比利时学者亨·德曼也指出，《手稿》"这部著作比马克思的其他任何著作都更清楚得多地揭示了隐藏在他的社会主义信念背后，隐藏在他一生的全部科学创作

---

① ［英］戴维·麦克莱伦：《马克思以后的马克思主义》，李智译，中国人民大学出版社2017年版，第5—6页。
② ［德］齐·朗兹胡特、［德］J.P.迈尔：《马克思早期著作对重新理解马克思学说的意义》，中共中央马克思恩格斯列宁斯大林著作编译局马恩室译，载《〈1844年经济学哲学手稿〉研究（文集）》，湖南人民出版社1983年版，第285页。

的价值判断背后的伦理的、人道主义动机"。① 既然《手稿》是马克思的巅峰之作，那么马克思后来的理论水平只能是停滞的甚至是衰退的。德曼指出："就这种从事创作的质量而言，马克思成就的顶峰是在1843年和1848年之间。不管人们对他后来的著作的评价多么高，但是在这些著作中却表现出创作力的某种衰退和削弱。"② 德曼认为导致这种现象的原因就在于，一方面马克思要同疾病和贫困做斗争，另一方面1848年革命的失败使马克思由于失望而产生了烦恼和愤懑之情。

另一种观点的出发点则是贬低《手稿》的理论价值，认为《手稿》是马克思思想断裂前期的作品，仍未超越唯心主义，在马克思后来的创作中，则完全抛弃了《手稿》中的思想。持这种观点的代表人物是法国的阿尔都塞。在《保卫马克思》的序言中，阿尔都塞写道："在马克思的著作中，确确

---

① ［比］亨·德曼：《新发现的马克思》，中共中央马克思恩格斯列宁斯大林著作编译局马恩室译，载《〈1844年经济学哲学手稿〉研究（文集）》，湖南人民出版社1983年版，第348页。
② ［比］亨·德曼：《新发现的马克思》，中共中央马克思恩格斯列宁斯大林著作编译局马恩室译，载《〈1844年经济学哲学手稿〉研究（文集）》，湖南人民出版社1983年版，第374页。

实实有一个'认识断裂论'。"① 以《德意志意识形态》为断裂的位置,阿尔都塞认为,断裂前是"意识形态"阶段,断裂后是"科学"阶段。《手稿》则属于断裂前马克思青年时期的著作。阿尔都塞指出,《手稿》还根本没有谈到生产方式、生产关系和生产力这三个概念,而在《德意志意识形态》中,新的理论体系正是建立在这三个概念之上的。阿尔都塞认为,从《德意志意识形态》到后来剩余价值理论的提出,马克思对政治经济学的批判和《手稿》中的哲学批判并没有什么联系,因为《手稿》中的批判依据的是费尔巴哈的发现,而后来的政治经济学批判依据的则是资本主义生产方式的矛盾过程的现实。

过度地赞扬抑或过度地贬低《手稿》在马克思主义发展史中的地位,都会造成"两个马克思"的观点,而否定马克思思想的前后一致性。学者们的争论恰恰反映了《手稿》在马克思主义发展史中的重要地位。

---

① [法]路易·阿尔都塞:《保卫马克思》,顾良译,商务印书馆2016年版,第13页。

(二)苏联学者的解读范式

1917年十月革命后,俄国建立无产阶级政权,并将马克思主义作为主要的执政依据。与西方马克思主义学派的研究不同,苏联学者倾向于将马克思的思想视为一种渐进发展的理论,以一种更正统和更客观的态度肯定了马克思思想的整体性。

大部分苏联学者都将《手稿》定位为一部不成熟的作品。针对西方学者亨·德曼过分推崇《手稿》的观点,苏联学者巴日特诺夫明确指出,过分推崇《手稿》地位的背后目的是"歪曲马克思主义,阉割它的革命精神,把它描绘成伦理社会主义的一个变种"①。之所以认为《手稿》是一部不成熟的作品,巴日特诺夫主要依据马克思在《手稿》中对哲学问题的论述方式,认为《手稿》中所使用的术语大多是承袭了黑格尔和费尔巴哈的观点。

与此相类似的是,奥伊泽尔曼也认为,应当把马克思和恩格斯的早期著作同成熟的马克思主义著作区别开来。虽然在《手稿》中马克思已经阐述了

---

① [苏]列·尼·巴日特诺夫:《哲学中革命变革的起源——马克思的〈1844年经济学哲学手稿〉》,刘丕坤译,中国社会科学出版社1981年版,第5页。

关于唯物主义和共产主义的一些观点，但是这些观点还没有得到明确的表达，未使用合适的论述方式，"马克思和恩格斯的早期著作的一个特点，就是它们的内容和表达形式之间存在着一定的不一致甚至矛盾，而这种表达形式大都属于已被马克思克服了的那些哲学学说的东西"①。之所以出现内容和表达形式的不一致，是因为新的理论并未十分明确，还受到之前哲学学说的影响。与《神圣家族》相比，《手稿》中的术语无法表明马克思的学说同费尔巴哈的哲学人本学的根本区别。奥伊泽尔曼指出，将《手稿》说成是马克思最重要的作品，主要目的就是贬低《资本论》和马克思的其他著作，歪曲工人阶级的思想体系，企图使马克思主义中立化，使马克思主义同资产阶级的社会意识调和起来。要想理解《手稿》的真正含义，奥伊泽尔曼认为，"只有把它跟马克思的先前的著作，特别是后来的著作联系起来，才能正确地加以理解，因为后来的著作不仅发展了，而且纠正了这部早期著作的

---

① [苏]泰·伊·奥伊泽尔曼：《马克思的〈经济学—哲学手稿〉及其解释》，刘丕坤译，人民出版社1981年版，第12页。

基本命题"①。

为了回应西方学者的观点,苏联的一些官方学者也存在矫枉过正的倾向,认为马克思后期的作品才能代表真正的马克思的观点,进而否定了《手稿》的价值和意义。曾任民主德国科学院中央哲学研究所所长的M.布尔明确指出:"在《手稿》中,马克思还远远没有达到这样的程度:赋予政治经济学以科学的地位,这也就是说他还远远没有站在政治经济学批判的立场上。"②布尔认为,尽管马克思对政治经济学提出了一系列批判性的意见。但仍然仅仅是处在批判性地占有政治经济学的阶段上,而不是处于积极地建立这门科学的阶段上。在布尔看来,《手稿》中的观点完全是不成熟的,马克思在《手稿》中所写的某些东西后来陆续就不用了。在《资本论》中对经济过程和社会过程,以及对资本主义生产方式的关系所做的分析,在《手稿》中很难找到,最多只是一些萌芽状态的分析。

---

① [苏]泰·伊·奥伊泽尔曼:《马克思的〈经济学—哲学手稿〉及其解释》,刘丕坤译,人民出版社1981年版,第114—115页。
② [德]M.布尔:《异化、哲学人本学和"马克思批判"》(续完),郭官义译,载《哲学译丛》1980年第2期。

作为马克思的早期作品,《手稿》中虽然蕴含了许多有价值的思想,但是我们并不能忽视其中的局限性,不能用《手稿》代替马克思的整体思想,只有客观地看待《手稿》,才能科学公正地认识马克思的其他著作。当然,《手稿》中的人道主义思想对于社会主义实践具有一定的借鉴意义,有助于防止中央集权体制的形成,也不应以"不成熟"为理由而忽视《手稿》的价值和意义。

(三)日本学者的解读范式

从岩渊庆一的论述来看,日本学者对《手稿》的研究成果之一是异化超越论,代表人物是广松涉。在《唯物史观的原像》中,广松涉认为《手稿》中的异化理论被《德意志意识形态》中的物象化理论所替代。但岩渊庆一认为这是对马克思的极端歪曲,这给《手稿》的研究带来了恶劣的影响。《手稿》中的"人的本质""异化""异化的扬弃"等概念在岩渊庆一看来已经被马克思赋予了新的意义,因此,"《手稿》应属于新唯物主义历史观的范畴"[1]。

---

[1] [日]岩渊庆一:《日本的〈1844年经济学哲学手稿〉研究》,载万俊人主编:《清华哲学年鉴》(2004),河北大学出版社2006年版,第133页。

除此之外,广松涉等学者还从经济学的角度研究了马克思哲学思想的变化发展。从影响马克思的黑格尔法哲学思想来看,广松涉指出黑格尔的法哲学思想不过是亚当·斯密"广义的法学体系"的德国版,二者所面临的问题本身是一致的,"在黑格尔那里,折射了德国资本主义的落后性、作为并非经济学的部门之一的古典经济学派理论,不过是在需求和劳动的体系及其逻辑这种哲学化的形式中的展开"。① 广松涉认为,在《手稿》的笔记本Ⅰ中,马克思同样是从经济学的社会问题中展开论述的。当然,广松涉也承认《手稿》中的经济学内容并不能等同于马克思后期的经济学研究。

(四)国内学者的解读范式

从国内学者对《手稿》的研究来看,大部分学者承认《手稿》在马克思主义思想发展历程中占据着重要地位,同时也不否认其中存在着一定的局限性,反对以《手稿》代替马克思的所有思想。具体看来,不同的学者侧重于从不同的角度解读《手稿》,因而在研究过程中存在着一些差异。

---

① [日]广松涉:《唯物史观的原像》,邓习议译,南京大学出版社2009年版,第16页。

从唯物史观的角度来看，很多中国学者将《手稿》看作马克思创立唯物史观的开端。例如庄福龄先生提出："创立唯物史观的过程开始于马克思的《1844年经济学哲学手稿》，对政治经济学的研究和异化劳动理论的提出，使马克思朝着在劳动发展史中寻找理解全部社会发展史的钥匙的方向迈出了重要的一步。"[①] 学者杨适指出《手稿》是马克思解决之前各种社会问题的起点，"《手稿》是马克思形成自己世界观时期的一部关键性作品；它是马克思哲学的真正起源地和秘密；是哲学中革命变革的起源；是马克思对历史之谜和理论之谜做出科学解答的开端"。[②] 与此相类似，黄楠森先生也认为，马克思在《手稿》中通过对国民经济学和资本主义社会现实的研究，提出了异化劳动理论，使他能够以一个新的理论为起点，开启他对唯物主义的科学研究。但另一方面，黄楠森先生也看到了《手稿》中所受到的旧哲学的束缚，费尔巴哈人本主义色彩和黑格尔的思辨哲学依然在《手稿》中占据重要地

---

① 庄福龄：《简明马克思主义史》，人民出版社2004年版，第34页。
② 杨适：《马克思〈经济学—哲学手稿〉述评》，人民出版社1982年版，第3页。

位。因此，黄楠森先生认为，"《1844年经济学哲学手稿》在马克思主义哲学形成过程中又是一部过渡性和二重性的著作"。①

从马克思思想的逻辑发展来看，以南京大学教授孙伯鍨和张一兵等为代表，认为《手稿》存在着双重逻辑："以抽象的人的本质为出发点的思辨逻辑和以现实的经济事实为出发点的科学逻辑。"② 第一种逻辑从劳动出发，将社会历史的发展看作人的本质的异化和复归的过程，这被看作是一种人本主义隐性唯心主义历史观架构，在青年马克思哲学中，处于主导地位。在《手稿》中，马克思借助于费尔巴哈的同时又超越了费尔巴哈，但是"由于马克思没有科学地回答人的本质何以是历史地构成的，而只是批判其异化形式并推断出其必然被扬弃，所以他在历史观上还没有真正地站在唯物主义的地平线上"。③ 第二种逻辑是在马克思真实地接触

---

① 黄楠森：《马克思主义哲学史》第1卷，北京出版社1991年版，第294页。
② 孙伯鍨、张一兵主编：《走进马克思》，江苏人民出版社2012年版，第12页。
③ 孙伯鍨、张一兵主编：《走进马克思》，江苏人民出版社2012年版，第15页。

无产阶级实践和经济学史实后产生的，立足点是历史发展的客观现实。在《手稿》中，马克思认识到工业是自然界同人之间，因而也是自然科学同人之间的现实的历史关系，这构成了马克思开始政治经济学研究的最初成果。孙伯鍨和张一兵教授认为，在1844年至1845年3月间，这两条理论逻辑始终处于一种相互消长之中，直到马克思写下《关于费尔巴哈的提纲》时，原来活跃在《手稿》中的人本学话语体系才被彻底解构。

以赵家祥和王东教授为代表的一部分学者以《手稿》中的实践观为依据，肯定了《手稿》的科学性。赵家祥教授认为，"《手稿》揭示了人类实践活动的基本内容和重要作用，强调了理论与实践的统一，在一定程度上克服了费尔巴哈人本主义的直观性"[①]。在《手稿》中，马克思将劳动看作人类实践活动的基本内容，指出在生产劳动的过程中，人类发挥个人的能动性，进行自由的、自觉的创造性活动，在此过程中使外部自然界和人本身都得到了改造，进而实现了人和自然的统一。王东教授和刘

---

① 赵家祥：《〈1844年经济学哲学手稿〉在马克思主义哲学史上的地位》，载《学习与探索》2012年第6期。

军老师则将《手稿》和《关于费尔巴哈的提纲》看作马克思哲学实践思想的内外篇,认为"《手稿》其实是马克思对黑格尔哲学进行全面清算的产物,这是马克思思想发展史上的'黑格尔论纲',也是马克思哲学实现革命变革,建立实践观思想的内篇"。① 林锋老师明确指出:"《1844年经济学哲学手稿》的逻辑主线,不是流行看法所认为的'异化劳动观',而是马克思初步形成的新唯物主义实践观。马克思正是以实践观为逻辑主线,将《手稿》思想体系各组成部分联结为一个有机整体。"②

韩立新教授等人则从社会关系的视角研究了《手稿》的理论价值,以"从个人到社会"的视角转变划分了早期马克思和晚期马克思,认为"'从个人到社会'是对巴黎时期马克思思想转变的总体概括"。③ 韩立新教授指出,巴黎时期的马克思思想

---

① 王东、刘军:《马克思哲学实践观思想的内外篇——〈1844年经济学哲学手稿〉和〈关于费尔巴哈的提纲〉》,载《武汉大学学报》(人文科学版)2003年第1期。
② 林锋:《〈1844年手稿〉的逻辑主线究竟是什么?——兼评"两种逻辑论"》,载《东岳论丛》2006年第4期。
③ 韩立新:《〈巴黎手稿〉研究》,北京师范大学出版社2014年版,第12页。

完成了从费尔巴哈到黑格尔、从国家到市民社会、从异化劳动到交往异化的转变,进而促成了"从个人到社会"的转变。马克思通过对黑格尔法哲学的批判,在巴黎时期认识到对市民社会的解剖应该到政治经济学中去寻找。通过对经济学的研究,马克思超越了费尔巴哈,从孤立人的主客关系转变到人与人之间的社会关系视角。

四、焦点问题

(一)关于《手稿》的文献学研究

《手稿》在马克思生前并没有出版,马克思本人也未曾命名过这部手稿。1927年,在苏联出版的《马克思恩格斯文库》第3卷的附录中,发表了《手稿》的笔记本Ⅲ,当时被视为写作《神圣家族》的准备材料。之所以被当作《神圣家族》的准备材料,学者周嘉昕指出:这是因为"除了的确存在的马克思、恩格斯文献遗产占有和文本识别工作上的缺憾外,在思想观念上的根源是,以梁赞诺夫为代表的苏联马克思主义文献学者尝试在马克思、恩格斯早期的文献遗产中发现梳理辩证唯物主义的形成过程。这既可以从马克思恩格斯公开发表的著作和他们对自己的'道路回顾'中找到理论依据,同时也反映出当时马克思主义与资产阶级意识形态争论的思想语境。特别需要注意的是,这一辩证唯物主义的理解同历史唯物主义以及马克思恩格斯对社会历史现实的探索紧密相关。而这一点又直接体现在对'《神圣家族》的准备材料'的整理及其向《手稿》问世的推进之中"。①

1932年,朗兹胡特和迈耶尔在《历史唯物主义。早期文选》中,收录了《手稿》的笔记本Ⅱ和笔记本Ⅲ。同年,苏联马克思恩格斯研究院在《马克思恩格斯全集》历史考证版(MEGA1)第一部分第3卷中首次出版了《手稿》的全文,并添加了《1844年经济学哲学手稿》这一标题。从这两个版本来看,早期对《手稿》的出版研究存在诸多不足。就朗兹胡特和迈耶尔出版的版本来看,"不仅没有收入笔记本Ⅰ的内容,也就是'工资'、'利润'、'地租'的讨论和[异化劳动与私有财产]的重要理论片段,而且将收入的笔记本Ⅱ和笔记本Ⅲ

---

① 周嘉昕:《从"〈神圣家族〉的准备材料"到〈1844年经济学哲学手稿〉——兼论梁赞诺夫对辩证唯物主义的理论贡献》,载《马克思主义与现实》2019年第1期。

的顺序也搞反了，此外，文本的编辑和整理也存在许多讹误和遗失之处"①。就苏联在1932年编辑出版的《手稿》全文来看，"无论是阿多拉茨基还是梁赞诺夫，在编辑马克思青年时期文献著作的时候，其目的是明确的，这就是'借助于马克思恩格斯的手稿来……研究马克思和恩格斯如何……一直走向辩证唯物主义'的过程"。②

后来《手稿》的其他译本多是依据MEGA1版本，"如第一个日文译本（1946）、两个意大利文译本（博比欧1949年本和沃尔佩1950年译本）、第一个英文译本和中文译本（皆为1956年），以及法译本（1962年，它替代了上述1937年的那个不可信的版本）"③。后来《手稿》"直到新MEGA（即MEGA2）工程时才被正式收入'社会主义阵营'的'马克思恩格斯著作全集'之中——该工程自1975年开始陆续出版，'巴黎手稿'被正式收入其I/2卷（1982年出版）。此时，距离其第一次公开出版，已

---

①② 周嘉昕：《〈1844年经济学哲学手稿〉与"青年马克思"文本群》，载《广西师范大学学报》（哲学社会科学版）2016年第6期。
③ [加]马塞洛·马斯托：《"巴黎手稿"解读中的"青年马克思"问题》，张秀琴等译，载《哲学动态》2016年第11期。

过去五十多年。在新版中,'手稿'是以'历史考证版'的形式予以刊印的,即分为两部分:第一部分（Erste Wiedergabe）刊印的是马克思当初留下来的全部现存原始手稿文字（因此也包含有'第一手稿'）;第二部分（Zweite Wiedergabe）按章节编排,所采用的编页码方法参考了先前诸多版本的做法。该版还对先前（特别是'序言'部分）的誊写错误进行了进一步修订。作为一个（由于马克思不同手稿所带来的）老大难问题（同时也是MEGA2的难题）,马克思对黑格尔《精神现象学》最后一章的摘录,既出现在MEGA2的I/2卷中,也出现在其后来出版的Ⅳ/2卷中（作为马克思这一时期所做的摘录笔记）"。[1]

由于《手稿》并不是一部完整的发表过的文章,同时一些原稿也有遗失,所以对残缺的笔记的编排引起了学者们的浓厚兴趣,这使得《手稿》呈现出几种不同的文本形态。对此,学者周嘉昕进行了总结,将《手稿》的版本归结为五种:第一种是指以《马克思恩格斯全集》历史考证版旧版（MEGA1）

---

[1] ［加］马塞洛·马斯托:《"巴黎手稿"解读中的"青年马克思"问题》,张秀琴等译,载《哲学动态》2016年第11期。

第一部分第3卷中所提供的《手稿》文本为依据,并被收入《马克思恩格斯全集》俄文第2版、《马克思恩格斯著作集》德文版、《马克思恩格斯全集》中文第2版、《马克思恩格斯全集》英文版中的《手稿》文本形态;第二和第三种分别指MEGA2第一部分第2卷中以逻辑顺序和写作顺序两种方式编排的文本形态。第四种即在既有研究中经常提到的1932年朗兹胡特和迈耶尔编辑的《手稿》的文本形态。第五种是指《手稿》最初问世时,发表在《马克思恩格斯文库》俄文版第3卷中的文本。①

对《手稿》的文献学研究除了涉及对版本的研究外,关于《手稿》和《巴黎手稿》的关系也是学界关注的问题之一。起初,人们将《手稿》也称为《巴黎手稿》,混淆了二者的关系。随着研究的深入,有学者发现并不能把《巴黎手稿》等同于《手稿》。通过文献学的研究,韩立新教授指出,《巴黎手稿》主要分为两大部分,一部分是对经济学著作所做的摘录和评注,即《经济学笔记》,包括著

---

① 周嘉昕:《从"〈神圣家族〉的准备材料"到〈1844年经济学哲学手稿〉——兼论梁赞诺夫对辩证唯物主义的理论贡献》,载《马克思主义与现实》2019年第1期。

名的《穆勒评注》；另一部分"似乎是一部著作手稿"，[①]即我们通常所理解的《1844年经济学哲学手稿》。从韩立新教授的研究来看，《手稿》是《巴黎手稿》的一部分。与此相类似，聂锦芳教授也指出，1843年10月到1845年1月，马克思在巴黎写下的著述主要分为两类：一是马克思对经济学著作的摘录和少量的个人观点，聂锦芳教授将这部分称为"巴黎笔记"；二是作者个人的思想论证，包括正面阐述和他人观点引发的议论，聂锦芳教授将这部分称为《巴黎手稿》。因此，聂锦芳教授认为，"《巴黎手稿》应该包括通常被称为《1844年经济学哲学手稿》的'三个笔记本'和《詹姆斯·穆勒〈政治经济学原理〉一书摘要》(简称《穆勒评注》)。"[②]通过学者们的研究可以得出，《手稿》是《巴黎手稿》的一个重要组成部分。

此外还有一些学者指出，《手稿》是马克思准备出版的《政治和国民经济学批判》的一部分草

[①] 韩立新：《〈巴黎手稿〉研究》，北京师范大学出版社2014年版，第110页。
[②] 聂锦芳：《关于重新研究"巴黎手稿"的一个路线图》，载《马克思主义与现实》2013年第3期。

稿。1845年年初,马克思在被驱逐出巴黎、动身前往布鲁塞尔之前,与出版商列斯凯签订了《政治学与国民经济学批判》一书的出版合同。学者鲁克俭指出:"《政治学与国民经济学批判》存在两个基础手稿,一个是《黑格尔法哲学批判》,另一个是《1844年经济学哲学手稿》。《1844年经济学哲学手稿》是第1卷即《国民经济学批判》的基础手稿,但马克思仍在不断研究经济学,也在不断修改和充实《1844年经济学哲学手稿》的内容。"① 与此相类似的是,学者熊子云也曾指出:"《手稿》大概是马克思准备公开出版的《政治和国民经济学批判》一书第一卷的部分草稿。"②

(二)关于《手稿》的主题的研究

从《手稿》的题目来看,其内容主要涉及哲学和经济学。在《手稿》中,马克思引用了国民经济学家的观点,并阐述了自己的看法。同时又对黑格尔的辩证法和整个哲学进行了批判。因此,大部分

---

① 鲁克俭:《马克思早期文本中的几个文献学问题》,载《杭州师范大学学报》(社会科学版)2013年第11期。
② 熊子云:《〈1844年经济学哲学手稿〉概要》,中国人民大学出版社1983年版,第10页。

学者围绕哲学和经济学的内容概述了《手稿》的主题。例如，陈先达教授指出："一方面，马克思求助于经济学，从经济事实出发，揭示了资本主义私有制的本质及其矛盾；另一方面，他又求助于传统的哲学范畴，对经济事实进行哲学的思考。"① 学者们经过研究发现，《手稿》中的哲学思想和经济学思想是相互交织的。例如孙伯鍨教授指出，在1844年的情况下，马克思"对私有制和资本主义经济制度的批判，与其说是经济学的，不如说是哲学的。他以政治经济学所确立的经济事实和经济规律为依据，企图对资本主义经济现实进行全面系统的哲学人本学的批判"。② 同样，张雷声教授也认为，"从严格意义上讲，这是一部用哲学语言阐述经济学内容的手稿"③，《手稿》反映了马克思对经济学和哲学的整体研究。日本学者山之内靖指出："《经济学哲学手稿》名副其实是'经济学'以及'哲学'的手

---

① 陈先达：《走向历史的深处——马克思历史观研究》，中国人民大学出版社2017年版，第228页。
② 孙伯鍨等：《马克思主义哲学史》第1卷，山西人民出版社1982年版，第104页。
③ 张雷声：《马克思的第一部经济学著作的手稿——〈1844年经济学哲学手稿〉研读》，载《思想理论教育导刊》2014年第9期。

稿，既不是单纯的'经济学手稿'，另外也不是单纯的'哲学手稿'。"①学者何萍认为，"《1844年经济学哲学手稿》是马克思研究政治经济学的起步之作。这部著作既是一部政治经济学的探索之作，又是一部哲学思想的创新之作。作为政治经济学的探索之作，这部著作在政治经济学的理论创造上远未达到像《资本论》那样的成熟水平，但它却借助实践哲学的创造而建构了政治经济学研究的理论框架，从而表达了马克思政治经济学的批判品格，凸显了马克思的政治经济学与资产阶级政治经济学的本质区别"②。

除了认为《手稿》是对哲学和经济学的综合论述外，还有学者认为《手稿》涉及更广泛的内容。苏联学者尼·拉宾认为，"马克思在1844年进行经济学和哲学研究的特点在于，他着手研究政治经济学的中心问题时，不仅是一个很快就成了这门科学的专家的经济学研究者，而且是一个哲学家和社会

---

① ［日］山之内靖：《受苦者的目光——早期马克思的复兴》，彭曦等译，北京师范大学出版社2011年版，第207页。
② 何萍：《20世纪以来马克思政治经济学研究的多维度展开——马克思〈1844年经济学哲学手稿〉、〈资本论〉新解》，载《天津社会科学》2017年第1期。

学家，一个历史家和政治家，是同时身兼革命理论家和实践家的人"。①学者王虎学指出："如果从'人的解放'的高度来看，异化劳动和共产主义都属于《手稿》的核心理论，是一个问题的两个方面而已。从根本上来说，异化劳动理论就是探索人的本质和人的解放的学说，而共产主义理论旨在阐明人如何扬弃人的自我异化、重新占有自己的本质，最终实现人的解放。"②

此外，还有很多学者从马克思主义整体性的角度概括了《手稿》的内容。例如麦克莱伦在《卡尔·马克思传》中介绍《手稿》时指出："恩格斯描述的马克思思想的三个组成部分（德国唯心主义哲学、法国社会主义和英国政治经济学）在这里似乎第一次同时出现，如果还没有融合在一起的话。"③庄福龄先生明确提出："《手稿》同样也在马

---

① ［苏］尼·拉宾：《〈1844年手稿〉对共产主义的经济和哲学论证》，中共中央马克思恩格斯列宁斯大林著作编译局马恩室译，载《〈1844年经济学哲学手稿〉研究（文集）》，湖南人民出版社1983年版，第3页。
② 王虎学：《马克思学说的"秘密和诞生地"——重读〈1844年经济学哲学手稿〉》，载《贵州师范大学学报》（社会科学版）2016年第3期。
③ ［英］戴维·麦克莱伦：《卡尔·马克思传》，王珍译，中国人民大学出版社2005年版，第117页。

克思主义的政治经济学和科学社会主义的创立过程中具有十分重要的意义。在《手稿》中已初步展现出马克思主义三个组成部分有机统一的思想体系的雏形。"①陈先达先生认为,"《手稿》的意义在于,它改变了由英国古典政治经济学、德国古典哲学和法国空想社会主义所表现的三者分离状态,试图把政治经济学、哲学、科学社会主义学说结合在一起,形成一个相互论证、相互补充的整体"。②学者王虎学则将《手稿》称为马克思主义学说的"秘密和诞生地",是首次全景式地展现"马克思主义整体性"理论形象的最初蓝图和典范文本,在《手稿》中,马克思"第一次把哲学、政治经济学和共产主义学说作为一个有机统一的整体进行综合论证和阐述"。③与此相类似的是,学者冯景源也指出:"关于《1844年经济学哲学手稿》的探讨,为我们科学理解马克思主义理论的'三者统一'提供了文献依据。它们的关系是:以共产主义为核心,经济

---

① 庄福龄:《简明马克思主义史》,人民出版社2004年版,第37页。
② 陈先达:《走向历史的深处——马克思历史观研究》,中国人民大学出版社2017年版,第251页。
③ 王虎学:《马克思学说的"秘密和诞生地"——重读〈1844年经济学哲学手稿〉》,载《贵州师范大学学报》(社会科学版)2016年第3期。

学和哲学的辩证关系为理论基础的'三者统一'。"①

（三）关于《手稿》中的政治经济学思想的研究

从经济学的角度来看，大部分学者都认为《手稿》构成了马克思政治经济学研究的开端。麦克莱伦指出，保留下来的《手稿》的四个部分构成了对政治经济学批判的基础，虽然是以一种不完整的形式。"这些手稿实际上不过是马克思的出发点——一种对要采纳的思想的原初的、丰富的表现，手稿在随后的经济学著作中得到发展，尤其在《政治经济学批判大纲》和《资本论》中得到进一步发挥。在后来的这些著作中，毫无疑问是更系统、更细致在极为纯粹的经济学和历史的背景之下探索了《1844年经济学哲学手稿》的主题；但是核心的具有启迪意义的思想，即人在资本主义社会的异化及其解放的可能性（通过共产主义支配自己命运的可能性）并没有改变。"②

《手稿》中蕴含了大量经济学的思想是我们不

---

① 冯景源：《〈1844年经济学哲学手稿〉：马克思主义理论三者统一的"原生态"》，载《东南学术》2017年第1期。
② ［英］戴维·麦克莱伦：《卡尔·马克思传》，王珍译，中国人民大学出版社2005年版，第117页。

可否认的事实，但这些内容与古典政治经济学有何不同，学者们却有不同的观点。陈先达先生认为，《手稿》虽然是从古典政治经济学的前提出发的，但已经超出了国民经济学的水平，因为"《手稿》研究的并不是抽象的'人'，而是无产者和资产者两大阶级的对抗"[①]。通过对国民经济学的研究，马克思提出了两个问题：第一，把人类的劳动归为抽象劳动有何意义；第二，通过提高工资改善工人阶级状况犯了什么错误。在陈先达先生看来，这表明马克思显然超出了国民经济学的水平。与此相类似的是，日本学者城塚登也指出，马克思和国民经济学家的立场存在着根本差异，国民经济学家将工人看作会劳动的物，并且将资本和私有财产的运动规律看成是与人相分离的，忽视了它们为什么会产生等问题。而马克思通过对人的研究考察了市民社会中的劳动问题，马克思"始终是在与人相适应，在与人的关系上来理解经济现象"[②]。

[①] 陈先达：《走向历史的深处——马克思历史观研究》，中国人民大学出版社2017年版，第227页。
[②] [日]城塚登：《青年马克思的思想》，尚晶晶等译，求实出版社1988年版，第71页。

但从写作《手稿》的认知背景来看,张一兵教授认为,此时的马克思对经济学问题并没有科学的认识,所以《手稿》中国民经济学部分摘录较多。即使马克思对国民经济学进行了一些初步的分析,但是并没有形成科学的经济学观点。"青年马克思1844年前后并没有储备经济学的知识。"① 从马克思对国民经济学的批判来看,张一兵教授认为也是不科学的,"因为首先他否定了劳动价值论,进而也就简单否定了古典经济学的科学性"②。他认为,写作《手稿》时的马克思主要受到了青年恩格斯的影响。此时的马克思将资本主义的现实问题归因于私有制和竞争,而"私有制是国民经济学不予以认证的事实,但由异化劳动所构成的现实关系实质上又是由竞争造成的偶然的假象"③。因此,马克思无法科学地评价资产阶级经济学的形成和发展,他与恩格斯一样将古典经济学和庸俗经济学混为一谈。与此相类似,学者熊子云也曾指出:"《手

---

① 张一兵:《回到马克思——经济学语境中的哲学话语》(第三版),江苏人民出版2014年版,第173页。
②③ 张一兵:《回到马克思——经济学语境中的哲学话语》(第三版),江苏人民出版2014年版,第232页。

稿》作为马克思主义形成的决定性时期的产物，具有继往开来的意义。但是，他的这种研究毕竟是刚刚迈步，在这时他甚至对古典经济学的最重要的科学成果——劳动价值论还采取了否定的态度，也就是说，他的经济学理论还是很不成熟的。因此，对《手稿》特别是对其中阐发的异化劳动理论在马克思主义中的地位过高或过低的估计都是不恰当的。"①

（四）关于马克思和黑格尔关系的研究

从哲学的角度来看，马克思在《手稿》中对黑格尔的思想进行了摘录和分析。在《手稿》的序言中，马克思表示要对黑格尔的辩证法和整个哲学进行剖析。从1841年写作博士学位论文开始，马克思就对黑格尔哲学进行了研究。到写作《手稿》时，马克思又对黑格尔的思想进行了深入的批判和继承。

《手稿》之所以在评析古典经济学家观点的同时，加入了对黑格尔辩证法的批判，其主要原因是黑格尔和古典经济学家之间存在着类似的缺陷。对

---

① 熊子云：《〈1844年经济学哲学手稿〉概要》，中国人民大学出版社1983年版，第119页。

此,陈先达先生指出,在《手稿》中,马克思对黑格尔的分析是与经济学的研究密切相关的,他们都将应当加以论证的问题当作既成的事实。黄楠森先生也曾指出,黑格尔同古典经济学家一样,"只看到劳动的积极的方面,而看不到劳动的消极的方面。古典经济学家承认劳动创造价值,而看不到劳动给劳动者带来的苦难,把劳动和劳动者分开。黑格尔也是这样。他也站在资产阶级立场上,只看到劳动是人赖以确证自己本质的方面,只是从对象化意义上理解劳动,而不是从异化的意义上来理解劳动(雇佣劳动)。因而他对于资本主义条件下的劳动就不是采取批判的态度,而是采取肯定的态度"①。

马克思在《手稿》中对黑格尔辩证法的基本态度是一分为二的,既有批判的方面同时也有肯定的方面。苏联学者罗德里格斯分析道,在马克思写作《手稿》时,"他在某些方面在费尔巴哈学说的影响下,对思辨的黑格尔哲学做了重大的修改。然而,如果认为马克思在当时完全摆脱了黑格尔的影响,

---

① 黄楠森:《马克思主义哲学史》第1卷,北京出版社1991年版,第361页。

那就错了"①。孙伯鍨教授认为，面对黑格尔的辩证法，马克思"肯定了它所包含的批判的、革命的要素，同时又指出必须克服黑格尔的否定之否定的抽象唯心主义形式及其保守反动的结论"②。与此相类似，黄楠森先生也指出，马克思在《手稿》中通过对《精神现象学》的批判，"既揭露了黑格尔辩证法的唯心实质，又肯定了他的积极成果，开始了对黑格尔辩证法的唯心主义改造"③。在《手稿》中，马克思认为黑格尔有双重错误：第一个错误是颠倒了思维和存在、主体和客体的关系；第二个错误是把现实事物的异化归结为抽象思维的异化。同时，黄楠森先生指出，马克思也肯定了黑格尔辩证法中的积极因素，例如马克思提出《精神现象学》中的精华是辩证法，其伟大之处在于"黑格尔把人的自我产生看做一个过程，把对象化看做非对象化，看

---

① ［苏］C.罗德里格斯：《人的问题与马克思〈1844年经济学哲学手稿〉中的"异化劳动"范畴》，载沈真编：《马克思恩格斯早期哲学思想研究》，中国社会科学出版社1982年版，第460页。

② 孙伯鍨：《探索者道路的探索——青年马克思恩格斯哲学思想研究》，北京师范大学出版社2017年版，第207页。

③ 黄楠森：《马克思主义哲学史》第1卷，北京出版社1991年版，第357页。

做外化和这种外化的扬弃",①马克思承认黑格尔抓住了劳动的本质,将人的本质理解为有意识的活动。学者苗启明指出,《手稿》"批判吸收了黑格尔的劳动范畴和人本辩证法范畴,奠定了人类学哲学的辩证理论基础"②。

学者周嘉昕则认为,"在对待黑格尔辩证法的问题上,马克思实际上经历了一个从站在费尔巴哈的立场上批判黑格尔及'当代批判的神学家'青年黑格尔派,到发现'站在现代国民经济学家的立场上'的黑格尔以及神秘主义的辩证法在'异化'的规定内所具有的积极意义的转变过程"③。之所以出现这样的转变,该学者推测是因为:在费尔巴哈"主谓颠倒"的意义上,"神学的批判——尽管在运动之初曾是一个真正的进步因素——归根结底不外是旧哲学的,特别是黑格尔的超验性被歪曲为神学漫画的顶点和结果"④。但是,就马克思自己对黑格

---

① 《马克思恩格斯文集》第1卷,人民出版社2009年版,第205页。
② 苗启明:《〈巴黎手稿〉开创的人类学哲学及其后续发展》,中国社会科学出版社2017年版,第85页。
③ 周嘉昕:《唯物主义、辩证法、政治经济学批判——〈1844年经济学哲学手稿〉的重新发现》,载《江海学刊》2017年第3期。
④ 《马克思恩格斯文集》第1卷,人民出版社2009年版,第113页。

尔的批判而言,这一工作并未完成。这是因为在批判黑格尔的过程中,马克思竟然发现了自身既有方法的短板,或者说黑格尔辩证法在异化的规定内确证了自己用"异化劳动"来解释"私有财产"所隐含的历史性维度。"黑格尔把人的自我产生看做一个过程,把对象化看做非对象化,看做外化和这种外化的扬弃;可见,他抓住了劳动的本质,把对象性的人、现实的因而是真正的人理解为人自己的劳动的结果。"①

关于马克思对黑格尔辩证法的具体分析,陈先达先生指出:"马克思对黑格尔唯心主义辩证法的批判和改造,不是从自然界,而是从社会领域开始的。"② 马克思通过对资本主义社会的分析,促进了他对黑格尔辩证法的批判和继承。在《黑格尔法哲学批判》中,马克思对黑格尔的批判,就集中于对市民社会和政治国家的关系的分析上。同样在《手稿》中,马克思也是通过对市民社会的剖析,来揭露黑格尔哲学的特点。吴晓明教授分析了《手稿》

---

① 《马克思恩格斯文集》第1卷,人民出版社2009年版,第205页。
② 陈先达:《走向历史的深处——马克思历史观研究》,中国人民大学出版社2017年版,第185页。

对黑格尔哲学—辩证法的存在论批判，主要从以下三个方面来展开：第一，自我意识的活动过程需要"克服意识的对象"；第二，当马克思的存在论批判针对着黑格尔辩证法的主体领域时，问题的要害就在于"被当作主体的不是现实的人本身"，而只是人的抽象，即自我意识；第三，当马克思的存在论批判针对黑格尔辩证法的对象领域时，问题的要害就在于自我意识的活动在扬弃异化的同时主要具有扬弃对象性本身的意义，从而整个对象领域对于思辨思维的辩证过程来说乃是一个"阴影"的领域，即一个要被克服的和正在消逝的领域。①

《手稿》在分析黑格尔辩证法的同时还存在着一定的局限性。对此，孙伯鍨教授指出："《手稿》中马克思对黑格尔辩证法的批判，基本上还是以费尔巴哈的自然主义和人道主义的观点为基础的。"②在《手稿》中，马克思将人类历史理解为人的本质的自我异化和扬弃异化的历史，认为唯物主义的基础

---

① 吴晓明：《论〈1844年经济学哲学手稿〉对思辨辩证法的批判》，载《复旦学报》（社会科学版）2018年第1期。
② 孙伯鍨：《探索者道路的探索——青年马克思恩格斯哲学思想研究》，北京师范大学出版社2017年版，第216页。

是任何自然以及任何人之间的合乎人性的关系。孙伯鍨教授认为，马克思虽然将人的本质看作劳动，但这种劳动只是理想状态下的自由自觉的劳动，而非现实中异化了的雇佣劳动。理想中的自由劳动在孙伯鍨教授看来只能是设定的。由此而产生的矛盾只不过表达了人们的人道主义要求同现实之间的矛盾，而并不是客观现实本身的矛盾。因此，他认为，马克思在《手稿》中还未能将辩证法置于唯物主义的基础之上。

（五）关于马克思和费尔巴哈关系的研究

在《手稿》的序言中，马克思写道："对国民经济学的批判，以及整个实证的批判，全靠费尔巴哈的发现给它打下真正的基础。"① 在这一时期，马克思对费尔巴哈的著作给予了极高的评价。1844年8月，马克思在写给费尔巴哈的信件中说："您的两部著作《未来哲学》和《信仰的本质》尽管篇幅不大，但它们的意义，却无论如何要超过目前德国的全部著作。在这些著作中，您（我不知道是否有意地）给社会主义提供了哲学基础，而共产主义者也

---

① 《马克思恩格斯文集》第1卷，人民出版社2009年版，第112页。

就立刻这样理解了您的著作。"①

从费尔巴哈对马克思的影响来看,麦克莱伦指出:"在马克思所有的《巴黎笔记》中,费尔巴哈的人道主义也占据着完全核心的地位。"②学者何新认为,"马克思在写作《1844年经济学哲学手稿》时还受着费尔巴哈人本主义和自然主义的较多影响"。③赵家祥先生明确指出《手稿》"还存在着费尔巴哈人本主义的旧术语、旧形式、旧观点的遗迹,《手稿》仍然属于马克思主义哲学形成过程中的著作"④。赵家祥先生归纳了《手稿》中费尔巴哈人本主义哲学的遗迹,主要有四个方面:(1)《手稿》中的异化劳动理论,是以承认有一个理想化的不变的、共同的"人的本质"为前提的,并将其作为衡量社会制度进步与否的标准。(2)《手稿》中关于人性异化、人性复归和人类解放的思想,尚未完全摆

---

① 《马克思恩格斯全集》第27卷,人民出版社1972年版,第450页。
② [英]戴维·麦克莱伦:《卡尔·马克思传》,王珍译,中国人民大学出版社2005年版,第99页。
③ 何新:《马克思对费尔巴哈人本主义的批判》,载《学习与思考》1984年第1期。
④ 赵家祥:《〈1844年经济学哲学手稿〉在马克思主义哲学史上的地位》,载《学习与探索》2012年第6期。

脱资产阶级人道主义的影响。(3)《手稿》虽然提出了人的本质具有社会性的思想,接近于提出生产关系概念,但是还没有对人们所处的社会环境做出纯经济的历史的分析,还没有清楚地认识到生产关系和其他社会关系的联系。(4)《手稿》中的异化劳动理论虽然是基于对"经济事实"的分析,讲的是人的劳动的异化,但由于马克思当时还只是初步研究政治经济学,在这方面的知识还比较缺乏,因而还没有完全做到用"经济事实"本身说明各种经济范畴。

马克思在写作《手稿》时,虽然受到了费尔巴哈的影响,但也有一定的超越。吴晓明教授指出:"《手稿》中的异化劳动学说和共产主义学说一般说来(在基本立脚点上)乃是仰仗于费尔巴哈的。"① 但在批判黑格尔的过程中,马克思和费尔巴哈的观点出现了差异。马克思在《手稿》中对黑格尔的批判实际上是"超出费尔巴哈哲学界限之决定性的一

---

① 吴晓明:《形而上学的没落——马克思与费尔巴哈关系的当代解读》,北京师范大学出版社2017年版,第483页。

步"。①费尔巴哈把否定的否定只看作神学的恢复，而马克思却认为应当进行全面的考察；费尔巴哈没有看到直接的肯定和否定之否定之间的关系，马克思却考察了"扬弃"的合理形式和意义。孙伯鍨教授认为，费尔巴哈虽然对马克思有一定的影响，但马克思已将费尔巴哈的一些主要原理和范畴应用到了更加广阔的经济生活领域，"在《手稿》中，马克思不再是像费尔巴哈那样仅仅只批判宗教，而是批判了私有制和雇佣劳动，批判了工人、资本家和土地所有者之间的现实关系；他研究了工人阶级的生存条件和他们在资本主义制度下所受到的非人待遇；他把劳动规定为人的本质，把私有财产的扬弃看做人类解放的根本条件。所有这些都使他大大地超过了费尔巴哈"。②因此，在内容上马克思已经获得了进一步的改造和扩大，这样就使马克思有可能发现并克服费尔巴哈哲学的局限性而继续前进。学者苗启明则从哲学人类学的角度分析了马克思对

---

① 吴晓明：《形而上学的没落——马克思与费尔巴哈关系的当代解读》，北京师范大学出版社2017年版，第482页。
② 孙伯鍨：《探索者道路的探索——青年马克思恩格斯哲学思想研究》，北京师范大学出版社2017年版，第202页。

费尔巴哈的超越，认为马克思通过对费尔巴哈的批判，奠定了人类学哲学的人本理论基础。"费尔巴哈是站在'以自然为基础的现实的人'即人和自然界的立场上反对宗教神灵世界的哲学斗士。马克思把费尔巴哈对天国的批判，推进到对人间的批判，在他对神学的批判之后，开辟了对'人和人类世界的批判'。"① 通过对费尔巴哈的超越，马克思使哲学从人本学的批判，进一步深化为人类学的批判，指明了人类学哲学的新方向。

（六）关于《手稿》中的人本学思想的研究

通过以上研究可以发现，青年时期的马克思的确在一定程度上受到了黑格尔和费尔巴哈的影响。《手稿》作为马克思研究政治经济学初期的、零散的材料，必然存在许多有待完善的地方。但有学者以《手稿》中的人本主义色彩为依据，将马克思的思想定位为抽象的人道主义，引起了学术界的争鸣。西方法兰克福学派代表人物之一马尔库塞指出，马克思主义的基础就是人的本质及其实现，"马克思在《经济学哲学手稿》两个地方提出了一

---

① 苗启明：《〈巴黎手稿〉开创的人类学哲学及其后续发展》，中国社会科学出版社2017年版，第87页。

个明确的对人的存在的总体性作了概述的关于人的本质的规定。尽管在这里只是叙述了一个大概的轮廓，但是这两个地方十分清楚地说明了马克思进行批判和创立理论的过程的真正基础"。① 这里主要是指，在《手稿》中，马克思提出了有意识的生命活动是人和动物的直接区别，马尔库塞进一步指出："对马克思来说，本质和事实、本质历史的状况和实际历史的状况恰恰再也不是存在的彼此分离、互不依赖的范围或领域了：人的历史性被纳入他的本质规定之中。"② 除此之外，西方学者弗洛姆也提出，马克思的哲学来源于西方人道主义的哲学传统，这个传统的本质就是对人的关怀，认为"马克思的哲学在《经济学哲学手稿》中获得最清楚的表述，它的核心问题就是现实的个人存在问题"③。

---

① ［美］赫·马尔库塞：《历史唯物主义的基础》，复旦大学哲学系现代西方哲学研究室译，载《西方学者论〈1844年经济学—哲学手稿〉》，复旦大学出版社1983年版，第311页。
② ［美］赫·马尔库塞：《历史唯物主义的基础》，复旦大学哲学系现代西方哲学研究室译，载《西方学者论〈1844年经济学—哲学手稿〉》，复旦大学出版社1983年版，第326页。
③ ［美］埃·弗洛姆：《马克思关于人的概念》，复旦大学哲学系现代西方哲学研究室译，载《西方学者论〈1844年经济学—哲学手稿〉》，复旦大学出版社1983年版，第15页。

通过文本解读和其他学者们的研究可以发现，"虽然马克思的人道主义受到费尔巴哈和黑格尔的影响，甚至阿尔都塞把这个时期归为'费尔巴哈的总问题'，然而经过激进政治时期和政治经济学批判时期之后的马克思的人道主义思想已与费尔巴哈和黑格尔哲学有了原则性的不同，而且也正是这一点奠定了马克思走向历史唯物主义的基础"①。徐春教授认为，"《手稿》中的人学思想是马克思人学理论的原生形态"②，真实地反映着马克思人学理论的本来样态。马克思在《手稿》中，通过分析异化劳动批判资本主义和阐述扬弃私有财产的现实道路等多个角度，论证了人的存在结构、人的本质和追求人的全面发展，以及使人成为一个"总体的人"的人学理论架构。这个基础性架构在马克思后来的思想中被不断添砖加瓦，获得了更加丰富而具体的内容。

具体来看，《手稿》中的人本学思想有其独特

---

① 纪佳妮：《重释人的解放——论〈1844年经济学哲学手稿〉的哲学人类学思想》，复旦大学出版社2015年版，第141页。
② 徐春：《马克思〈1844年经济学哲学手稿〉的人学建构》，载《上海师范大学学报》（哲学社会科学版）2017年第4期。

的内涵。首先,从《手稿》中的人本思想和费尔巴哈人道主义思想的对比来看,马克思更注重实践活动。侯才教授指出,《手稿》中关于人的论述和费尔巴哈的人本主义思想存在着一定的差别。"就实质而论,费尔巴哈人类学主义的根本缺陷并不在于它以人为中心,而是在于它对人的本质的抽象理解。"[①] 具体来看,费尔巴哈不理解人的实践活动,特别是劳动活动,只承认理论活动和诉诸"感性直观",将人的本质理解和界定为自然本质或精神本质,从而将人变成一种抽象的存在物,将人类历史变成了自然史和宗教史。但在《手稿》中,马克思将人的本质规定为劳动"这种生命活动本身,生产生活本身"[②],具体而言,就是从事生产、把自己当作商品出售的"工人"。在《手稿》中,基于劳动观的确立,在对人的本质的理解这一根本问题上,马克思与费尔巴哈人类学主义、与以往各种人道主义理论划清了界限。林锋老师也提出《手稿》历史观的真正出发点,不是抽象的"人"、抽象的"人

---

① 侯才:《马克思"新唯物主义"的真正诞生地和秘密——纪念〈1844年经济学哲学手稿〉写作170年》,载《哲学动态》2014年第8期。
② 《马克思恩格斯文集》第1卷,人民出版社2009年版,第162页。

的本质",而是感性、现实的劳动实践活动。马克思正是以劳动实践活动为根本出发点来说明社会历史问题的。

其次,在《手稿》中,马克思剖析了资本主义社会的阶级结构,揭示了资本主义社会阶级对立的状况,从阶级关系中研究了人的发展。在笔记本Ⅰ中,马克思论述了亚当·斯密的一些主要观点,初步看到了资本主义社会中阶级的对立,认为随着资本主义经济的发展,社会必然分化为两个阶级:有产者阶级和没有财产的工人阶级。其中,无产阶级"日益完全依赖于劳动,依赖于一定的、极其片面的、机器般的劳动"[1]。"即使在对工人最有利的社会状态中,工人的结局也必然是劳动过度和早死,沦为机器,沦为资本的奴隶(资本的积累危害着工人),发生新的竞争以及一部分工人饿死或行乞。"[2] 因此,陈先达先生认为,马克思并不是把人作为伦理的主体,把人与人之间的关系只看成道德关系,而是强调"所有者和劳动者之间的关系必然归结为

---

[1] 《马克思恩格斯文集》第1卷,人民出版社2009年版,第120页。
[2] 《马克思恩格斯文集》第1卷,人民出版社2009年版,第121页。

剥削者和被剥削者的国民经济关系"。① 在《手稿》中，马克思已经初步看到了阶级的对立，逐渐转向了从阶级关系的角度来分析"人"的发展。

最后，从《手稿》对经济活动的研究发现，马克思反对抽象人道主义，反对离开资本主义社会固有的经济和政治矛盾，把实现人的本质看成历史最终目标的抽象人道主义的历史观。学者阎树森就提出，《手稿》"它是一本经济学著作，它的主题是对资产阶级经济学和资本主义经济制度的批判"。② 与此相类似的是，陈先达先生也提出《手稿》的主题是关于无产阶级的阶级地位和人类解放道路的论述，其主要依据是经济事实。《手稿》试图从经济中，从私有制本身及其积极扬弃中，寻求无产阶级处于非人地位的原因及其解放的途径。

（七）关于异化理论的内涵与特点的研究

围绕马克思在《手稿》中阐述的异化理论，学者们进行了激烈的讨论。从异化的概念来看，庄福龄先生指出："《手稿》中，异化作为一个哲学概

---

① 《马克思恩格斯文集》第1卷，人民出版社2009年版，第151页。
② 阎树森：《创立马克思主义理论体系的开端——〈1844年经济学哲学手稿〉的解释与探讨》，求实出版社1987年版，第15页。

念,是指主体在自己的发展过程中,由于自身的活动而产生出自己的对立面,然后这个对立面又作为一种外在的、异己的力量反过来反对主体自身。"①卢卡奇认为,要区分异化和对象化,对象化始终存在于人类历史的发展过程中,而异化则只存在于资本主义社会中,在黑格尔那里对象化是等同于异化的。但从《手稿》的内容来看,马克思区分了异化和对象化的内涵,进而否定了异化。针对卢卡奇的观点,韩立新教授提出了不同的看法。通过分析《手稿》的笔记本Ⅰ和笔记本Ⅲ,韩立新教授发现,马克思有两种异化,笔记本Ⅰ中是异化劳动,笔记本Ⅲ中则是异化辩证法,前者是狭义的异化,后者是广义的异化并等同于对象化。黄楠森先生则认为:"马克思在《手稿》中讲的异化实际上就是剥削剩余价值。"②

关于异化的理解,黑格尔和费尔巴哈也都进行过阐述。马克思的异化思想虽然借鉴了黑格尔和费尔巴哈的理论,但又不同于费尔巴哈和黑格尔。有

---

① 庄福龄:《简明马克思主义史》,人民出版社2004年版,第35页。
② 黄楠森:《关于人道主义和异化的几个理论问题》,载《高教战线》1984年第1期。

学者指出:"马克思在人的自我创造和形成的意义上保留了黑格尔的异化,但同时看到了异化的消极意义即费尔巴哈意义上的异化。"[1]

从黑格尔的异化观来看,奥伊泽尔曼在《马克思的〈经济学哲学手稿〉及其解释》一书中指出,在黑格尔看来,自然界是绝对理念,是神化了的思维的"异化"。学者卜祥记和丁颖指出:"黑格尔混淆了'对象化'与'异化'的关系;或者说,他把'对象化'同时理解为'异化',即'把对象化看作失去对象,看作外化和这种外化的扬弃'。"[2]在此基础上,黑格尔关于对象的扬弃不仅有扬弃异化的意义,而且有扬弃对象性的意义。学者冯景源认为,"在黑格尔那里,异化是主体客体间的一种关系。主体即实体。作为实体它是一种能够运动的自我肯定。它的运动就是自我异化,也就是否定,外化为与自己相对立的存在物,即客体。异化是中间环节。通过这一环节,它又回到自身,这就是否定

---

[1] 纪佳妮:《重释人的解放——论〈1844年经济学哲学手稿〉的哲学人类学思想》,复旦大学出版社2015年版,第165页。
[2] 卜祥记、丁颖:《感性活动:〈1844年经济学哲学手稿〉的核心成果与理论高度》,载《云梦学刊》2016年第2期。

的否定。没有异化，黑格尔的思辨辩证法便寸步难行。在费尔巴哈那里，其哲学使命是反对宗教，其异化理论是要论证上帝是从哪里来的。上帝的智慧是从哪里来的呢？是人的本质的异化。在黑格尔那里，异化起着思辨唯心主义辩证法推手的作用"①。学者王虎学指出："黑格尔是第一个真正把异化作为一个哲学范畴进行探讨的哲学家，他主要是在对象化、外化的意义上使用异化。黑格尔认为绝对精神或绝对观念是主体，发展到一定阶段便异化为自然界，然后又在发展中扬弃这种异化，回到绝对精神或绝对观念自身，因此，异化是黑格尔构造思辨哲学体系的工具和杠杆。"②

从费尔巴哈的异化观来看，有学者指出："在费尔巴哈这里，异化起着唯物主义杀手的作用。再推而广之，还有宗教的异化、商品的异化等等。异化是一个中性的概念，看它被用在什么关系中。"③学者王虎学指出："费尔巴哈从感性的人出发，认

---

①③ 冯景源：《〈1844年经济学哲学手稿〉：马克思主义理论三者统一的"原生态"》，载《东南学术》2017年第1期。
② 王虎学：《马克思学说的"秘密和诞生地"——重读〈1844年经济学哲学手稿〉》，载《贵州师范大学学报》（社会科学版）2016年第3期。

为人按照自己的形象创造了上帝,然后又把上帝当作独立的主体,顶礼膜拜,因而上帝是人本质的异化。"[1]与此相类似的是,奥伊泽尔曼也曾指出,在费尔巴哈看来,人的本质的主要异化形式是宗教,宗教意识是人关于自己本身的本质的幻想;而马克思提出异化主要是揭示异化的不以意识为转移的物质基础,提出了异化劳动,发现了生产方面、经济方面的异化。奥伊泽尔曼认为,马克思所制定的异化劳动这一概念不只是经济学上的概念,而且也是哲学上的概念。虽然在《手稿》中,马克思像费尔巴哈一样,把"真正的"人的本质同现存的社会关系对立起来,但马克思考虑的不是封建的社会关系,而是资本主义的社会关系。正因为这个缘故,所以马克思把异化说成"人的关系的非人化"。

从马克思异化观的具体内容来看,学者秦步焕和王中汝认为"马克思的异化思想在这里不是异化劳动的'一枝独秀',而是异化思想的'全面开

---

[1] 王虎学:《马克思学说的"秘密和诞生地"——重读〈1844年经济学哲学手稿〉》,载《贵州师范大学学报》(社会科学版)2016年第3期。

花'"。① 在《手稿》中，马克思对资本主义社会中的感觉的异化、需要的异化、消费的异化等做了深刻的批判，重点阐述了异化劳动理论。英国学者肖恩·塞尔斯指出："马克思将异化与生活的许多领域联系在一起，包括宗教、政治、社会和经济关系，但尤其是劳动。"② 在《手稿》中，马克思将资本主义社会的异化劳动分为：人和自己劳动产品的异化，人与自己劳动行为的异化，人和人的类本质的异化，人和人的异化。据此，学者卜祥记和丁颖指出："在对'异化劳动'的四重规定性的描述中，马克思始终是把作为经济事实和理论规定的'异化劳动逻辑'与作为其现象实情的'劳动逻辑'对比展开的，始终是把'异化劳动逻辑'还原为'劳动逻辑'，并用劳动的逻辑和劳动的语言转述异化劳动的逻辑和异化劳动的经济事实。在这里所出现的

---

① 秦步焕、王中汝：《马克思异化思想的演变探析——从〈1844年经济学哲学手稿〉到〈德意志意识形态〉和〈资本论〉》，载《科学社会主义》2019年第1期。
② ［英］肖恩·塞尔斯：《马克思〈1844年经济学哲学手稿〉中的"异化劳动"概念》，高雯君译，载《当代国外马克思主义评论》2008年第0期。

正是马克思独特的现实个人的劳动逻辑。"①

陈先达教授和孙伯鍨教授分析了马克思异化劳动理论的特点。陈先达教授认为，马克思异化劳动理论的基础是德国古典哲学中关于异化的理论，但马克思突破了它们的思辨传统，更加注重经济事实的分析，马克思的异化劳动理论是批判资产阶级政治经济学、解决资产阶级政治经济学所不能解决的问题的有效武器。孙伯鍨先生提出，异化劳动理论的提出表明马克思离费尔巴哈越来越远。因为费尔巴哈将自己的批判局限在宗教领域，在宗教本质的背后发现人的本质。而马克思进一步探索了宗教异化的世俗根源，由宗教异化到政治异化再到劳动异化，马克思不断追溯资本主义经济关系的产生和发展的客观历史，进而发现人类历史发展的客观规律。

此外，学界还对异化劳动概念的外延进行了讨论，有学者认为异化劳动概念的外延是所有私有制社会的劳动，甚至还提出了社会主义也存在异化的观点，成为20世纪80年代的理论热点问题之

---

① 卜祥记、丁颖：《感性活动：〈1844年经济学哲学手稿〉的核心成果与理论高度》，载《云梦学刊》2016年第2期。

一。针对马克思异化理论的外延问题,学者叶汝贤指出,马克思"所理解的'异化',是一个社会历史范畴,他只限于用来分析资本主义这一特定的对象"。① 同样持此观点的学者刘永佶对此提出了四条理由:一、马克思是站在近代工人阶级的立场上规定异化劳动概念的;二、异化劳动概念所由以抽象的各具体概念是以前政治经济学的工资、利润、资本、竞争、积累、地租等,这些概念都是反映资本主义经济矛盾的;三、马克思将异化劳动概念的内涵看成是工人和资本家之间对立和矛盾的表现;四、异化劳动概念的展开和具体化,也是论证资本主义各种经济矛盾的。由此该学者指出:"异化劳动概念的外延应划在资本主义生产劳动这个范围内。"② 与此相类似的是,学者王虎学也认为"马克思的异化劳动理论主要针对的是资本主义社会关系,而不能扩及自然界的一切现象"。③ 关于"社会主义异化论",学者张奎良分析了社会主义异化

---

① 叶汝贤:《剖析"社会主义异化论"》,载《学术研究》1984年第1期。
② 刘永佶:《马克思经济学手稿的方法论》,河南人民出版社1990年版,第132页。
③ 王虎学:《〈1844年经济学哲学手稿〉导读》,中共中央党校出版社2018年版,第35页。

和资本主义异化的三点区别，包括异化的根源、趋势不同，异化的内容、实质不同，异化的后果及消灭异化的途径不同。① 也有学者明确反对社会主义社会存在异化的观点，例如学者王洪斌指出："在社会主义社会，劳动者既已成为生产资料和劳动过程的主人，从而也必然是劳动产品（生产资料和消费资料）的主人。因此，社会主义劳动者为社会提供的剩余劳动，在任何意义上也不可能成为劳动者异己的对立物。"② 学者金隆德则从异化理论这一思想根源上否定了"社会主义异化论"，认为包括马克思的劳动异化理论在内的异化理论并不能科学地说明各种社会现象，因为"凡是谈论'异化'问题的，一般说来，都是以'人的本质的异化'作为中心的。在他们看来，坚持人道主义和反对异化，是一个事情的两个方面。这清楚地说明，异化理论是以抽象的人性论为其理论基础的，其出发点和落脚

---

① 张奎良：《社会主义异化与资本主义异化的区别》，载《社会科学辑刊》1982年第3期。
② 王洪斌：《马克思的异化劳动概念和"社会主义异化论"的错误》，载《河北学刊》1984年第2期。

点是抽掉了社会规定性的人"。①

（八）关于异化理论地位的研究

从异化劳动理论和唯物史观的关系来看，异化劳动理论奠定了《手稿》在唯物史观形成中的作用。对此黄楠森先生分析道，第一，在《手稿》中，马克思把人的本质归结为劳动，把社会历史归结为劳动异化和扬弃这种异化的历史，因而生产劳动在社会存在和发展过程中起着基础性的作用。第二，《手稿》提出生产劳动是人区别于动物的根本特征，在一定程度上强调了人的自觉能动性和社会性，克服了费尔巴哈的直观性。第三，《手稿》在阐发异化劳动理论的过程中，还提出了物质生产在构成社会诸因素中起支配作用的思想。第四，在《手稿》中，马克思第一次把实践理解为改造外部自然界的对象性活动，从而指明了实践的基本内容。

除此之外，有学者提出《手稿》中的异化劳动理论实际上还包括社会存在决定社会意识的内容。庄福龄先生提出："《手稿》中的异化劳动理论由

---

① 金隆德:《关于"社会主义异化论"的几个问题》，载《江淮论坛》1983年第6期。

于深刻地揭示了劳动是人的本质，把社会历史看成是劳动异化和扬弃这种异化的历史，这就把生产劳动看成是社会存在和发展的基础。"① 孙伯鍨教授根据《手稿》的笔记本Ⅲ中的内容，也提出了《手稿》中蕴含着社会存在决定社会意识的内容。在《手稿》中马克思写道："社会的人的感觉不同于非社会的人的感觉。只是由于人的本质客观地展开的丰富性，主体的、人的感性的丰富性，如有音乐感的耳朵、能感受形式美的眼睛，总之，那些能成为人的享受的感觉，即确证自己是人的本质力量的感觉，才一部分发展起来，一部分产生出来。因为，不仅五官感觉，而且连所谓精神感觉、实践感觉（意志、爱等等），一句话，人的感觉、感觉的人性，都是由于它的对象的存在，由于人化的自然界，才产生出来的。"② 孙伯鍨教授指出，如果抹去这段话中的思辨色彩，这就是对历史唯物主义关于社会存在决定社会意识关系的很好的说明。

但是张一兵教授提出了不同的观点，认为在《手稿》中居主导地位的还是人本主义，异化劳动

---

① 庄福龄：《简明马克思主义史》，人民出版社2004年版，第36页。
② 《马克思恩格斯文集》第1卷，人民出版社2009年版，第191页。

理论不是马克思主义的科学世界观。张一兵教授认为，异化理论并没有跳出传统的历史人学目的论，从本质上看，劳动异化理论还是一种深层的隐性唯心主义历史观，并不能作为唯物史观的基础。张一兵教授指出，虽然马克思视作历史本真基础的东西，已经不同于费尔巴哈的"生理—伦理"活动和"自然—情感"关系，但马克思仍然用"应该"存在的人的本真"自由自觉的劳动"和"真正的社会关系"为逻辑批判尺度，对现实存在的异化劳动的非人状况进行哲学—伦理学的批判，这种非历史的批判实质上必定是非科学的。

不可否认的是，《手稿》中提出的异化劳动理论在马克思思想发展过程中扮演着重要角色。俞吾金教授认为，"马克思一生都使用异化概念"。① 青年时期的马克思是从"道德评价优先"的角度看待异化现象的，此时的马克思认为异化现象是消极的，应该从道德上加以谴责，这种异化概念是从属于以抽象的人的本质为基础的、伦理意义上的共产主义或人道主义，而成熟时期的马克思则是从"历史评

---

① 俞吾金：《从"道德评价优先"到"历史评价优先"——马克思异化理论发展中的视角转换》，载《中国社会科学》2003年第2期。

价优先"的角度看待异化现象的,认为异化现象在历史上的出现是客观的、必然的,应该从历史评价的维度上充分肯定,这种异化概念是从属于以历史演化的客观必然性为基础的历史唯物主义。俞吾金教授进一步指出,异化概念在马克思的历史唯物主义理论中的地位是实质性的、基础性的,异化的一般表现方式揭示了人类社会发展的客观趋向,从而使作为历史唯物主义拱顶石的"三大社会形态"理论得以确立。

针对俞吾金教授的观点,段忠桥教授提出:从马克思后来的作品来看,异化概念出现的频率并不高。段忠桥教授指出,马克思较多使用异化概念的著作主要是他早期的著作和他在1857—1864年写下的几个经济学手稿。"俞吾金教授所说的异化概念实际上是青年马克思的异化劳动概念",[1]成熟时期的马克思已经放弃了这一概念。段忠桥教授认为,"俞吾金教授所说的异化(劳动)概念还不是历史唯物主义的概念,因而它在马克思的历史唯物主义理论中连象征性的、边缘性的地位都谈不上,

---

[1] 段忠桥:《马克思的异化概念与历史唯物主义——与俞吾金教授商榷》,载《江海学刊》2009年第3期。

更不要说实质性的、基础性的地位了"。① 通过文本研究，段忠桥教授发现，无论是在《德意志意识形态》还是在《〈政治经济学批判〉序言》中，虽然马克思对历史唯物主义进行了经典表述，但异化概念在这两次表述中却并没有出现。不仅如此，异化概念在马克思本人认可的有关历史唯物主义的其他表述中，如在《共产党宣言》《关于自由贸易问题的演说》和《哲学的贫困》中也没有出现。因此，段忠桥教授认为，异化概念只存在于马克思青年时期的作品中，在后期成熟的作品中，马克思放弃了异化概念。与此相类似的是，学者林涧也曾指出："在唯物史观和剩余价值学说创立之前，异化曾经是马克思学说的中心概念，它既包含有异化劳动的卓越思想，又受到费尔巴哈人本主义的明显影响，带有明显的人本主义的痕迹。在唯物史观和剩余价值学说创立之后，异化已不再是马克思学说的中心概念，只是作为一个术语来使用的。"②

---

① 段忠桥：《马克思的异化概念与历史唯物主义——与俞吾金教授商榷》，载《江海学刊》2009年第3期。
② 林涧：《"异化"不是马克思主义的基础》，载《山东师范大学学报》（哲学社会科学版）1983年第6期。

（九）关于私有财产和异化劳动关系的研究

《手稿》中关于异化劳动理论的研究与私有财产阐述相互交织，二者的关系构成了学者们研究的另一个焦点。在《手稿》中，马克思一方面说"私有财产是外化劳动即工人对自然界和对自身的外在关系的产物、结果和必然后果"。① 另一方面又说"尽管私有财产表现为外化劳动的根据和原因，但确切地说，它是外化劳动的后果，正像神原先不是人类理智迷误的原因，而是人类理智迷误的结果一样。后来，这种关系就变成相互作用的关系"。②

针对马克思的不同表述，学者们对异化劳动和私有财产的关系有不同的理解。例如学者熊子云认为，马克思基于对异化劳动产生根源的分析，"阐明了私有制和异化劳动互为因果的辩证关系"。③ 与此相类似的是，庄福龄先生也提出："马克思认为，私有财产是造成异化的根源，又是异化劳动的结果，是一种互为因果的辩证关系。"④ 学者王虎学则认

---

①② 《马克思恩格斯文集》第1卷，人民出版社2009年版，第166页。
③ 熊子云：《〈1844年经济学哲学手稿〉概要》，中国人民大学出版社1983年版，第119—120页。
④ 庄福龄：《简明马克思主义史》，人民出版社2004年版，第36页。

为,"在马克思看来,从最开始,异化劳动与私有财产仅仅是一种因果关系,异化劳动是'因',私有财产是'果',但是发展到一定阶段的时候,异化劳动与私有财产之间就变成一种互为因果的相互作用的关系"。①但"在《手稿》中,马克思还没有最终从根本上解答异化劳动与私有财产之间的关系问题,这一时期马克思对于异化劳动和私有财产的关系的认识还并不是十分明确,带有一种循环论证的痕迹"。②

与以上观点不同的是,学者姜海波认为,私有财产起源于外化劳动而不是异化劳动,马克思阐明了私有财产起源于外化劳动,外化劳动亦即劳动过程本身,只有在资本主义私有财产的统治下,劳动的外化才表现为异化。韩立新教授认为,马克思在《手稿》中提的资本出生的理论是:"人的'对象化活动'('异化劳动Ⅰ')带来了'基于自我劳动基础上的私人所有'('私人所有Ⅰ'),这种私人所有又带来了'属于他人的异化劳动'('异化劳动Ⅱ'),

---

①② 王虎学:《马克思学说的"秘密和诞生地"——重读〈1844年经济学哲学手稿〉》,载《贵州师范大学学报》(社会科学版)2016年第3期。

而这种异化劳动最终生产出了'资本主义的私人所有'（'私人所有Ⅱ'）。"①王锋明教授则认为：在"现实"或经验层面，马克思的观点是异化劳动和私有财产具有相互作用、互为因果的关系。而在更高的超验层面，异化劳动是私有财产的内在本质，私有财产不过是异化劳动的外在表现。

（十）关于《手稿》中的共产主义思想的研究

马克思对劳动和私有财产的研究在一定程度上揭示了资本主义社会发展的特点，为后来阐述共产主义代替资本主义的唯物史观奠定了理论基础。正如学者阎树森提到的，马克思对资本主义制度的剖析是为了寻找社会历史发展的客观规律，是为了在批判旧世界中发现新世界。因此，马克思对政治经济学的研究必然转向对共产主义的探索，必然转向对各种各样的空想社会主义、共产主义学说的批判，在批判中建立起自己的共产主义学说。

从政治经济学研究入手，马克思在《手稿》中运用自己的经济理论，概括地提出了关于共产主义的基本特征的预见。"共产主义是对私有财产即人

---

① 韩立新：《马克思的异化劳动理论究竟是不是循环论证》，载《学术月刊》2012年第3期。

的自我异化的积极的扬弃，因而是通过人并且为了人而对人的本质的真正占有，因此，它是人向自身，也就是向社会的即合乎人性的人的复归，这种复归是完全的复归，是自觉实现并在以往发展的全部财富的范围内实现的复归。"① 庄福龄先生提出，马克思的这个结论表明，"他第一次在政治经济学和哲学研究的基础上，提出了历史发展规律的问题，论证了共产主义取代资本主义的历史必然性。虽然这个结论还带有费尔巴哈哲学影响的明显痕迹，还不十分成熟，但显然是他创立唯物史观乃至整个马克思主义科学体系的重要的新起点"。②

学者张兴国和郑雪滢分析了《手稿》中关于共产主义思想的论证逻辑，"《1844年经济学哲学手稿》中的共产主义思想，是马克思按着从异化劳动→私有财产→共产主义的逻辑理路展开，构建了一个以人为本、以自由为核心、以'三个（人与自然、人与人、人与自身）统一'为基本内容的完整

---

① 《马克思恩格斯文集》第1卷，人民出版社2009年版，第185页。
② 庄福龄：《简明马克思主义史》，人民出版社2004年版，第36页。

体系"。① 学者王虎学总结了《手稿》中的共产主义观,"共产主义意味着人本身的解放;共产主义意味着对人的本质的真正占有;共产主义意味着对人类所创造的一切财富的保存;共产主义意味着自然主义与人道主义的和解;共产主义意味着历史之谜的解答和自觉;共产主义意味着一种客观的历史运动"。②

具体来看,张雷声教授认为,在《手稿》中,马克思关于共产主义思想的主要观点是:其一,共产主义是私有财产即人的自我异化的积极扬弃。共产主义是对私有财产的积极扬弃,而对私有财产的扬弃又是对人的自我异化的积极扬弃,"因为私有财产是异化了的人的生命的物质的、感性的表现"。③ 其二,共产主义是一种客观的历史运动过程。共产主义虽然是一种未来的社会形态,但却是建立在客观现实基础之上的,它是资本主义社会发展的

---

① 张兴国、郑雪滢:《深入理解马克思〈1844年经济学哲学手稿〉中的共产主义思想》,载《湖北社会科学》2016年第12期。
② 王虎学:《马克思的共产主义观——基于〈1844年经济学哲学手稿〉的解读》,载《学术研究》2018年第11期。
③ 张雷声:《马克思的第一部经济学著作的手稿——〈1844年经济学哲学手稿〉研读》,载《思想理论教育导刊》2014年第9期。

历史必然。其三，共产主义是人和自然、人和人的矛盾的真正解决。在共产主义社会中，人的本质得以复归，自然界的人的本质对社会的人来说成为一种存在。其四，共产主义是对历史之谜的解答。共产主义不仅是对人与自然、人与人的矛盾的解决，而且也是对存在与本质、对象化和自我确证、自由和必然、个体和类之间的矛盾的解决。虽然马克思在《手稿》中阐述了共产主义思想，但是张雷声教授认为，"由于唯物史观正处于形成之中，马克思对资本主义雇佣劳动制度的剥削性还没有完全得到科学的论证，所以他在《手稿》中所阐述的共产主义思想还不具有成熟性。尽管如此，我们还是应该看到，马克思的论述已经显现了唯物史观的萌芽"。①

鲁克俭教授则对《手稿》中的共产主义思想给予了较高的评价。鲁克俭教授指出，在笔记本Ⅲ中，马克思引入了"劳动—历史"辩证法的新思路，这就使其对共产主义的论证有了历史的维度。在《手稿》中"共产主义不仅仅是应然的要求，而

---

① 张雷声：《马克思的第一部经济学著作的手稿——〈1844年经济学哲学手稿〉研读》，载《思想理论教育导刊》2014年第9期。

且也是历史本身运动的结果。正是有了历史的维度，避免共产主义倒退到'粗陋的共产主义'就不再是应然的要求，而是保存了全部历史发展成果的共产主义。"①从异化理论来看，鲁克俭教授认为马克思不仅把私有财产看作人的自我异化的结果，而且也把宗教、家庭、国家、法、道德、科学、艺术等看作人的自我异化。因而扬弃了异化的共产主义也不仅仅是否定私有财产，更主要的是使人的潜能得到充分发挥，使每个人都能得到自由而全面的发展。但是，陈先达教授指出："马克思把共产主义看成是人的本质的'实现'、'占有'或'复归'的论证是不科学的"，②这证明马克思还没有摆脱费尔巴哈的影响，表明了他当时理论的局限。

（十一）关于《手稿》中的实践思想的研究

通过以上分析可以发现，《手稿》中的异化理论和共产主义思想是学者们研究的重点问题。除此之外，有学者又进一步探索了《手稿》中的实践思

---

① 鲁克俭：《唯物史观"历史性"观念的引入——马克思〈1844年经济学哲学手稿〉中"异化"概念新解》，载《哲学动态》2015年第6期。
② 陈先达：《走向历史的深处——马克思历史观研究》，中国人民大学出版社2017年版，第235页。

想。例如，席捷等学者认为，"《手稿》是马克思实践观的奠基之作，马克思通过对黑格尔、青年黑格尔派以及费尔巴哈哲学的彻底清算，锤炼了自己的哲学世界观，形成了实践唯物主义学说，并以此为基础，对思维与存在、主体与客体、理论与实践，人与自然、人与社会、人与人的相互关系以及宗教问题做了科学的解释"①。

学者丁立卿认为，马克思在《手稿》中初步确立了实践观点的新哲学原则。"就马克思的哲学创新而言，他在文本中精辟地阐释了生产劳动是人的主体能动性与感性生命特质统一的本源性生命活动，并依此进一步明确地阐释了实践是人的本质对象化的对象性活动"。② 正是通过运用对实践活动的全新理解，马克思实现了哲学理念的根本转变，并在文本中初步破解了"人本身"的"理论之谜"与"历史之谜"。丁立卿学者认为，马克思在《手稿》中通过"对象性"与"对象化"两个哲学范畴深刻

---

① 席捷、刘明侠、赵华朋：《马克思实践观的嬗变和自我超越——从〈手稿〉〈神圣家族〉到〈提纲〉的实践观发展轨迹》，载《探索与争鸣》2013年第1期。
② 丁立卿：《实践是人的本质"对象化"的"对象性"活动》，载《学术交流》2015年第5期。

阐释了人的实践活动的内涵：其一，人是对象性的生命存在，进行着对象性的生命活动；其二，人在对象性活动中实现人的本质的对象化，生发人的丰富感觉；其三，实践作为人的本质对象化的对象性活动，是破解"人本身"奥秘的历史性范畴。①

王东教授等学者认为，马克思在《手稿》中第一次系统地表达了自己的实践观思想。"马克思对黑格尔哲学的批判及由此确立的以实践观为核心的哲学观点是他批判国民经济学（第一、第二笔记）和阐述共产主义思想（第三笔记）的理论前提。因此，马克思的实践观思想是《手稿》的主题思想。"② 从《手稿》的组成内容来看，实践观思想是一条一以贯之的思想红线。王东教授和刘军老师指出，在《手稿》中马克思首先确立了实践活动的自然前提，即实践观的存在论基础；其次，马克思提出"对象性的活动"是实践活动的本质内容；再次，异化劳动是实践活动歪曲的结果；最后，马克

---

① 丁立卿：《实践是人的本质"对象化"的"对象性"活动》，载《学术交流》2015年第5期。
② 王东、刘军：《马克思哲学实践观思想的内外篇——〈1844年经济学哲学手稿〉和〈关于费尔巴哈的提纲〉》，载《武汉大学学报》（人文科学版）2003年第1期。

思预见了实践活动的未来表现形式,即在扬弃"异化劳动"中实现"自然的人化"和"人的自然化"的高度统一,实现人类和自然的解放。展开来说,在《手稿》中,马克思实践观思想具体表现在以下十一个方面:第一,实践观的理论来源;第二,实践观的唯物基础和"激情本体";第三,实践观的本质内容——对象性活动;第四,人及其实践活动的显著特征——受动和能动的结合;第五,实践活动的对象性和创造性——内化和外化的结合;第六,实践活动中人与自然、人与人的关系;第七,劳动二重性的思想——特殊劳动和一般劳动的统一;第八,实践活动及运动的环节——家庭——市民社会——国家——世界历史。第九,实践活动的目的性;第十,人化自然论——自然的人化和人的自然化的统一;第十一,共产主义及异化的扬弃。①

林锋老师也提出,劳动实践的观点是理解《手稿》历史观及其理论实质的一把钥匙。因为《手稿》是从劳动实践活动出发,来说明人类历史的本质特征和运动过程的。《手稿》从人类劳动史、实

---

① 王东、刘军:《马克思哲学革命的源头活水和思想基因——〈1844年经济学哲学手稿〉新解读》,载《理论学刊》2003年第3期。

践史的整体视野和思想高度说明了异化劳动问题，从劳动实践活动出发说明了人的现实性和人的本质问题，从劳动实践观点出发说明了资本主义起源、发展的历史必然性和未来趋势问题。马克思从劳动实践活动出发来说明人的本质问题，使《手稿》避免了走向抽象的人道主义。在赵家祥教授看来，《手稿》中的实践观是建立在唯物主义基础上的实践观，"既摆脱了黑格尔唯心主义实践观的影响，又在一定程度上克服了费尔巴哈仅仅把人看做感性对象，而不同时把人看做感性活动的旧唯物主义的消极的、被动的、直观性的缺陷，为辩证唯物主义和历史唯物主义的形成奠定了实践观的基础"。①

学者何萍也认为"实践"是《手稿》的核心概念，同时该学者还阐述了"实践"和异化劳动的关系，认为"首先，从实践存在的结构看，'异化劳动'给予了实践感性形式，是人的感性的存在；其次，从实践的历史进程看，'异化劳动'造成了人与自然、人与社会、人与自身的分离，是人获得社会性，从而获得人的解放、个体自由的历史条件。

---

① 赵家祥：《〈1844年经济学哲学手稿〉在马克思主义哲学史上的地位》，载《学习与探索》2012年第6期。

这样，马克思就通过异化劳动这个概念，把'实践'植根于资本主义的经济形态之中，并由此而建构起他的唯物史观和资本主义批判理论。"①与此相类似的是，学者李伟民也曾指出："《手稿》中的实践概念虽指劳动，但实践概念的表述与异化劳动概念联系紧密，并用异化理论解释实践概念。"②与此同时，李伟民学者还指出：《手稿》的实践概念仍然受到黑格尔哲学思辨、抽象的表达方式的影响，并借助了费尔巴哈的"类生活""类存在物"等概念，具有明显的人本主义痕迹。③

（十二）关于《手稿》中的伦理学思想的研究

《手稿》对资本主义社会矛盾的揭露，蕴含着一定的伦理学思想，对此学者们进行了研究。学者孔润年在《马克思"异化劳动"概念的伦理学意义——重读〈1844年经济学哲学手稿〉》一文中指出："马克思观察和批判资本主义的切入点是道德，落脚点则是经济和政治。他后来用剩余价值学说和

---

① 何萍：《20世纪以来马克思政治经济学研究的多维度展开——马克思〈1844年经济学哲学手稿〉、〈资本论〉新解》，载《天津社会科学》2017年第1期。
②③ 李伟民：《马克思主义实践观在创立时期的发展》，载《广西大学学报》（哲学社会科学版）1990年第1期。

科学社会主义学说对资本主义的批判中,同样蕴涵着对工人阶级和人类命运的伦理关怀","异化劳动概念的提出,不仅为批判资本主义社会找到了一个切入点和理论武器,而且为创立以人为本的实践唯物主义的哲学和伦理学奠定了基础。"随后其得出结论:"只有以人为本的社会实践才能作为马克思主义伦理学的出发点。这正是马克思'异化劳动'概念给我们的重要启示。"①与此相类似的是,学者郭夏娟也认为"马克思通过对资本主义条件下人的异化及人的实践活动的分析,揭示了人的本质的'社会性',从而为科学伦理学的创立找到了真正的出发点——现实的人。马克思认为,异化劳动使工人几乎丧失了自身,致使他们道德堕落,异化劳动使资本家在占有工人劳动的同时,成为道德败坏的伪君子。从而说明了经济利益决定道德,道德是特定社会经济关系所表现出来的利益的反映。《手稿》认为真正的共产主义是'真正合乎人性'的社会,是人的自我异化的扬弃,说明伦理学的归宿和最终目的正是要造就自由的、全面发展的人,建立一种

---

① 孔润年:《马克思"异化劳动"概念的伦理学意义——重读〈1844年经济学哲学手稿〉》,载《伦理学研究》2010年第5期。

新型的人际关系"。①

学者周东启和周景震则提出,《手稿》最早孕育出了马克思主义生态伦理思想,他们虽然没有明确使用生态伦理这样的概念,但这些精辟的论述在今天依旧有指导意义。其在《马克思〈1844年经济学哲学手稿〉中生态伦理思想的发轫》一文中提道:"伦理要求是调整人和人之间关系的道德准则,道德是人们在社会实践中形成的行为原则和规范。为什么人与自然之间也存在着伦理关系呢?生态伦理学是以自然为中介去规范人与人之间的道德关系。人与自然进行物质能量交换,必然涉及到与他人的关系,自然界可逆或不可逆的变化,环境的改变必然为他人、为后人带来巨大的影响。在这样的交换中,人们应有怎样的义务,生态学本身的规律就规定了这些原则和规范,所以尊重自然的价值就是尊重人的价值。"②

根据《手稿》中所蕴含的伦理学思想,学者

---

① 郭夏娟:《马克思〈1844年经济学哲学手稿〉在科学伦理观形成中的地位》,载《中国人民大学学报》1989年第3期。
② 周东启、周景震:《〈马克思1844年经济学哲学手稿〉中生态伦理思想的发轫》,载《求是学刊》1992年第2期。

亨·德曼明确提出马克思主义是伦理性的,认为在《手稿》中马克思只是把道德的实现场所由意识转移到存在。"马克思主义绝不是非伦理的。它明确地认为黑格尔关于历史是最高道德的实现的观点具有伦理的目标。它对黑格尔主义的批判只是针对认为这种实现只需要在意识中完成,而不必在社会存在中完成的观点。"①在《手稿》中,马克思认为"任何一个对象对我的意义(它只是对那个与它相适应的感觉说来才有意义)都以我的感觉所及的程度为限"②。亨·德曼认为马克思这种关于"感觉"的学说,即需要和利益来自感觉,无非就是把伦理学的评价纳入人的需要。

但陈先达教授在提出了不同的观点,"《手稿》中确实包含着道德评价和道德谴责,它讲到了资本主义私有制度下人的价值和人的贬值、物的世界的增值和人的世界的贬值,论述了货币作为中介所引起的是非颠倒和道德沦丧,抨击了资产阶级国民经

---

① [比]亨·德曼:《新发现的马克思》,中共中央马克思恩格斯列宁斯大林著作编译局马恩室译,载《〈1844年经济学哲学手稿〉研究(文集)》,湖南人民出版社1983年版,第369页。
② 《马克思恩格斯文集》第1卷,人民出版社2009年版,第191页。

济学对人的漠视，等等。但是《手稿》中关于资本主义必然为更高的社会形态所代替的依据，主要是建立在经济分析的基础上。马克思并不是把人作为伦理的主体，把人与人之间的关系只看成是道德的关系，而是强调'所有者和劳动者之间的关系必然归结为剥削者和被剥削者的经济关系'。事实证明，马克思是把社会主义看成是私有财产的矛盾及其运动的结果，而不是单纯作为一种伦理要求"①。

（十三）关于《手稿》中的美学思想的研究

通过对《手稿》的进一步研究，学者们对其中的美学思想进行了广泛讨论，并取得了一定的研究成果。正如朱立元教授所说，《手稿》"开始了对马克思主义美学大厦的建造，使美学研究的方向发生了革命性的变化"②。

对《手稿》中美学思想的研究离不开对唯物辩证法的运用。学者张都爱指出：对《手稿》的研究"不应该仅仅在马克思谈论美的段落上去阐发马

---

① 陈先达：《走向历史的深处——马克思历史观研究》，中国人民大学出版社2017年版，第244页。
② 朱立元：《历史与美学之谜的求解——论马克思〈1844年经济学哲学手稿〉与美学问题》，上海人民出版社2014年版，第41页。

克思的美学思想,而应该以辩证唯物主义为理论基础,按照马克思理论的总体精神去理解和把握马克思的美学思想。马克思主义美学理论不是现成的,不能把马克思主义经典作家有关美学的思想、观点进行归纳给予某种注经式的解读、阐述,应该按照马克思美学的精神实质去发展马克思主义美学"。①与此相类似的是,学者朱立元教授也认为,《手稿》对美学的论述一方面是在劳动实践的思路下展开的,另一方面要把唯物辩证法应用于社会人文学科,使美学成为真正的历史科学,"把辩证法创造性地应用于审美主客体关系研究,力图以人的劳动时间(人的对象化与自然的人化)为中介,把人与现实的审美关系看成一个不断生成、变化和发展的历史过程,并初步揭示了这一发展的必然规律。这就为把美学变为一门真正的历史科学开启了正确的方向"②。

关于《手稿》中美学思想的来源,有学者指出:

---

① 张都爱:《文本阐释与马克思主义美学本土化——以〈1844年经济学哲学手稿〉的美学阐释为中心的研究》,载《河南教育学院学报》(哲学社会科学版)2013年第2期。
② 朱立元:《历史与美学之谜的求解——论马克思〈1844年经济学哲学手稿〉与美学问题》,上海人民出版社2014年版,第51页。

《手稿》中体现的马克思主义美学是经济学的延伸，马克思经济学与美学是统一于马克思主义理论的整体性、实践性、革命性之中的。例如，学者吴雄认为，"马克思的经济学和美学从诞生之初就注定了它们相互依存、相互支撑和相互转化的内在联系。马克思的经济学和美学思想又是一个不断发展的过程，作为这一过程的起点，《手稿》从经济学和美学两个领域展示了青年马克思的思想光辉"[①]。

学者张宝贵分析了《手稿》中的美学主题，认为"物质生产实践只是生活决定性力量中的一个层面，美的艺术也只是马克思美学视野下的一种。将生活作为美学思考的出发点，将美的属性赋予各种生活方式而不唯独限于美的艺术，应该是马克思《1844年经济学哲学手稿》的美学主题，是一种本体论生活美学的表达"[②]。学者凌继尧指出："《手稿》美学思想的核心命题是'自然的人化'和'人的本

---

① 吴雄：《从〈手稿〉看马克思经济学和美学的内在联系》，载《理论探索》2016年第3期。
② 张宝贵：《〈1844年经济学哲学手稿〉中的本体论生活美学思想初探》，载《中国人民大学学报》2018年第2期。

质力量对象化'。"①

学者孙全胜具体分析了《手稿》中的美学思想,认为《手稿》主要论述了美的根源、美的规律和美感的形成等问题。他在《论马克思〈1844年经济学哲学手稿〉的劳动美学观》一文中总结道:"马克思认为,劳动创造了美,这是美的根源;美的规律在于物种尺度和人内在目的尺度的统一;美感来源于人化自然。马克思美学思想是《手稿》整体思想的有机组成部分,是基于实践基础上的美学观。"随后,该学者进一步指出:"美学具有外在历史和内在心理两个维度。美学彰显人的社会生活状态、精神状态和社会方向。不同历史阶段,人的美学理念是不同的。美学能成为突破社会秩序和精神枷锁的动力。美学的心理学维度是外在的经济因素等造成的。时代的变迁会让个体角色改变,能改变美学关系,获得主体地位。美学理念的发展,能让人把握自己和实现人格的完善。"②

---

① 凌继尧:《再论〈1844年经济学哲学手稿〉美学思想的研究》,载《艺术百家》2018年第3期。
② 孙全胜:《论马克思〈1844年经济学哲学手稿〉的劳动美学观》,载《湖南行政学院学报》2017年第6期。

学者李一鸣则从"感性"入手，重点分析了"感性"在《手稿》中的美学意义。他指出，"感性"是美学大厦的奠基石，感性现实是美学的对象世界，感性活动是对象化的审美过程，"马克思在《1844年经济学哲学手稿》中不厌其烦地提到'感性'一词。通过分析其中'感性世界'、'感性需要'与'感性意识'等核心概念的意义，即可挖掘出'感性'所包含的美学意蕴：一方面'感性世界'所体现的美学对象世界是可能的，另一方面从作为审美主体的人入手，探讨对象世界诉诸于人的'感性需要'与'感性意识'，以实现'感性'的解放与超越"。① 学者汤龙发从实践的角度分析了《手稿》中的美学思想，认为在《手稿》中，"马克思首先肯定了美在客体，不在主体，但要产生审美的认识活动，必须要有审美主体与美的客体的交互作用才行"。② 通过审美实践活动，客体和主体之间的距离可以消除，主体可以变成审美的主体。他进一

---

① 李一鸣：《作为美学之可能的"感性"——以马克思〈1844年经济学哲学手稿〉为分析对象》，载《武汉理工大学学报》(哲学社会科学版) 2012年第2期。
② 汤龙发：《异化和哲学美学问题——巴黎〈手稿〉新探》，湖南人民出版社1988年版，第179页。

步指出:"马克思主义美学认为,审美的认识活动离不开实践,却不认为美之有无取决于实践。"①

《手稿》中的美学思想,曾引起美学大家朱光潜先生的关注。在《马克思的〈经济学—哲学手稿〉中的美学问题》一文中,朱光潜先生讲道:"从马克思的分析看,感官的问题是非常复杂的,它涉及劳动实践在全部世界史的发展对人和自然的关系,涉及社会类型及其相应的文化背景,涉及阶级斗争、生产斗争和科学实验三大实践,涉及个人的阶级地位,职业,教养,身体情况乃至一时偶然心境。马克思在这部手稿中显出他才大心细。他没有抹杀意志,目的,思维和情感,甚至提到爱情和形式美。"②但朱光潜先生的美学思想进一步发展成了唯心主义美学思想,遭到了李泽厚等学者的批判。

通过对《手稿》的研究,李泽厚教授提出了美感的矛盾二重性,"简单说来,就是美感的个人心理的主观直觉性质和社会生活的客观功利性质,即

---

① 汤龙发:《异化和哲学美学问题——巴黎〈手稿〉新探》,湖南人民出版社1988年版,第180页。
② 朱光潜:《马克思的〈经济学—哲学手稿〉中的美学问题》,载程代熙编:《马克思〈手稿〉中的美学思想讨论集》,陕西人民出版社1983年版,第60页。

主观直觉性和客观功利性"①。在李泽厚教授看来,朱光潜等学者歪曲了美感的直观性质,割裂了事物和事物的关系,在抽象的人的感受性上肯定美的存在,"他们企图利用美感直觉的有限具体形象的表现形式和表面现象,利用美感直觉的反映形式的特点,而首先把术美感和理知、把艺术和科学,各划定一个对立的认识范围,从而把美感与思维,把艺术与科学,在反映现实的本质和内容上根本对立起来"。②

对于《手稿》中美学思想的评价,学者凌继尧指出,美学家们"要正确评价《手稿》的地位,需要对黑格尔、费尔巴哈的有关著作、黑格尔派的解体时代的书刊和马克思主义史的最初情况做出研究,研究马克思在其理论产生时期所面临的那些思想问题的真正历史内容,论证马克思在19世纪40年代的哲学表现方式中的每一个重要的思想差别,分析《手稿》和《资本论》这些不同年代的著作之

---

①② 李泽厚:《论美感、美和艺术(研究提纲)——兼论朱光潜的唯心主义美学思想》,载《哲学研究》1956年第5期。

间存在的外部区别和内在联系"。①学者张都爱认为,"以历史唯物主义为理论视野,可以客观而具体地评价《手稿》在马克思主义美学本土化中的重要性,并能够揭示出中国美学的发展逻辑和未来的生长点。在历史唯物主义的视域内,中国马克思主义美学的逻辑链条是:由马克思主义美学哲学基础的奠基到马克思主义美学理论文本和理论依据的全面阐释再到马克思主义主流学派理论的深入建构;由列宁的反映论到马克思《手稿》的实践观点再到实践论美学的发展;由物质本体论向实践认识论到实践本体论再到实践存在论的深化;由无主体的客观性走向主体性,走向主体间性,走向人的存在和生存性;在这一系列的发展过程中,中国马克思主义美学走向美学本身、美学学科本身、美学的基本问题本身,走向成熟而完善的美学理论的建构"②。

---

① 凌继尧:《再论〈1844年经济学哲学手稿〉美学思想的研究》,载《艺术百家》2018年第3期。
② 张都爱:《文本阐释与马克思主义美学本土化——以《1844年经济学哲学手稿》的美学阐释为中心的研究》,载《河南教育学院学报》(哲学社会科学版)2013年第2期。

参考文献

1. 《马克思恩格斯文集》第 1 卷，人民出版社 2009 年版。
2. 《马克思恩格斯文集》第 2 卷，人民出版社 2009 年版。
3. 《马克思恩格斯全集》第 27 卷，人民出版社 1972 年版。
4. 《1844 年经济学哲学手稿》，人民出版社 2014 年版。
5. [法]路易·阿尔都塞：《保卫马克思》，顾良译，商务印书馆 2016 年版。
6. [英]戴维·麦克莱伦：《卡尔·马克思传》，王珍译，中国人民大学出版社 2005 年版。
7. [英]戴维·麦克莱伦：《马克思以后的马克思主义》，李智译，中国人民大学出版社 2017 年版。
8. [苏]列·尼·巴日特诺夫：《哲学中革命变革的起源——马克思的〈1844 年经济学哲学手稿〉》，刘丕坤译，中国社会科学出版社 1981 年版。
9. [苏]泰·伊·奥伊泽尔曼：《马克思的〈经济学—哲学手稿〉及其解释》，刘丕坤译，人民出版社 1981 年版。
10. [日]城塚登：《青年马克思的思想》，尚晶晶等译，求实出版社 1988 年版。
11. [日]广松涉：《唯物史观的原像》，邓习议译，南京大学出版社 2009 年版。

12. ［日］山之内靖：《受苦者的目光——早期马克思的复兴》，彭曦等译，北京师范大学出版社2011年版。

13. 孙伯鍨等：《马克思主义哲学史》第1卷，山西人民出版社1982年版。

14. 杨适：《马克思〈经济学—哲学手稿〉述评》，人民出版社1982年版。

15. 沈真编：《马克思恩格斯早期哲学思想研究》，中国社会科学出版社1982年版。

16. 熊子云：《〈1844年经济学哲学手稿〉概要》，中国人民大学出版社1983年版。

17. 中共中央马克思恩格斯列宁斯大林著作编译局马恩室编译：《〈1844年经济学哲学手稿〉研究（文集）》，湖南人民出版社1983年版。

18. 复旦大学哲学系现代西方哲学研究室编译：《西方学者论〈1844年经济学哲学手稿〉》，复旦大学出版社1983年版。

19. 程代熙编：《马克思〈手稿〉中的美学思想讨论集》，陕西人民出版社1983年版。

20. 阎树森：《创立马克思主义理论体系的开端——〈1844年经济学哲学手稿〉的解释与探讨》，求实出版社1987年版。

21. 汤龙发：《异化和哲学美学问题——巴黎〈手稿〉新探》，湖南人民出版社1988年版。

22. 刘永佶：《马克思经济学手稿的方法论》，河南人民出版社

1990年版。

23. 黄楠森：《马克思主义哲学史》第1卷，北京出版社1991年版。

24. 庄福龄：《简明马克思主义史》，人民出版社2004年版。

25. 万俊人主编：《清华哲学年鉴》(2004)，河北大学出版社2006年版。

26. 孙伯鍨、张一兵主编：《走进马克思》，江苏人民出版社2012年版。

27. 张一兵：《回到马克思——经济学语境中的哲学话语》(第三版)，江苏人民出版2014年版。

28. 韩立新：《〈巴黎手稿〉研究》，北京师范大学出版社2014年版。

29. 朱立元：《历史与美学之谜的求解——论马克思〈1844年经济学哲学手稿〉与美学问题》，上海人民出版社2014年版。

30. 纪佳妮：《重释人的解放——论〈1844年经济学哲学手稿〉的哲学人类学思想》，复旦大学出版社2015年版。

31. 孙伯鍨：《探索者道路的探索——青年马克思恩格斯哲学思想研究》，北京师范大学出版社2017年版。

32. 陈先达：《走向历史的深处——马克思历史观研究》，中国人民大学出版社2017年版。

33. 吴晓明：《形而上学的没落——马克思与费尔巴哈关系的当代解读》，北京师范大学出版社2017年版。

34. 苗启明:《〈巴黎手稿〉开创的人类学哲学及其后续发展》,中国社会科学出版社 2017 年版。

35. 王虎学:《〈1844 年经济学哲学手稿〉导读》,中共中央党校出版社 2018 年版。

36. [德] M.布尔:《异化、哲学人本学和"马克思批判"》(续完),郭官义译,载《哲学译丛》1980 年第 2 期。

37. [英] 肖恩·塞尔斯:《马克思〈1844 年经济学哲学手稿〉中的"异化劳动"概念》,高雯君译,载《当代国外马克思主义评论》2008 年第 426 期。

38. [加] 马塞洛·马斯托:《"巴黎手稿"解读中的"青年马克思"问题》,张秀琴等译,载《哲学动态》2016 年第 11 期。

39. 李泽厚:《论美感、美和艺术(研究提纲)——兼论朱光潜的唯心主义美学思想》,载《哲学研究》1956 年第 5 期。

40. 张奎良:《社会主义异化与资本主义异化的区别》,载《社会科学辑刊》1982 年第 3 期。

41. 林涧:《"异化"不是马克思主义的基础》,载《山东师范大学学报》(哲学社会科学版) 1983 年第 6 期。

42. 金隆德:《关于"社会主义异化论"的几个问题》,载《江淮论坛》1983 年第 6 期。

43. 黄楠森:《关于人道主义和异化的几个理论问题》,载《高教战线》1984 年第 1 期。

44. 叶汝贤:《剖析"社会主义异化论"》,载《学术研究》

1984年第1期。

45. 何新:《马克思对费尔巴哈人本主义的批判》,载《学习与思考》1984年第1期。

46. 王洪斌:《马克思的异化劳动概念和"社会主义异化论"的错误》,载《河北学刊》1984年第2期。

47. 郭夏娟:《马克思〈1844年经济学哲学手稿〉在科学伦理观形成中的地位》,载《中国人民大学学报》1989年第3期。

48. 李伟民:《马克思主义实践观在创立时期的发展》,载《广西大学学报》(哲学社会科学版)1990年第1期。

49. 周东启、周景震:《马克思〈1844年经济学哲学手稿〉中生态伦理思想的发轫》,载《求是学刊》1992年第2期。

50. 王东、刘军:《马克思哲学实践观思想的内外篇——〈1844年经济学哲学手稿〉和〈关于费尔巴哈的提纲〉》,载《武汉大学学报》(人文科学版)2003年第1期。

51. 王东、刘军:《马克思哲学革命的源头活水和思想基因——〈1844年经济学哲学手稿〉新解读》,载《理论学刊》2003年第3期。

52. 俞吾金:《从"道德评价优先"到"历史评价优先"——马克思异化理论发展中的视角转换》,载《中国社会科学》2003年第2期。

53. 林锋:《〈1844年手稿〉的逻辑主线究竟是什么?——兼评"两种逻辑论"》,载《东岳论丛》2006年第4期。

54. 段忠桥：《马克思的异化概念与历史唯物主义——与俞吾金教授商榷》，载《江海学刊》2009年第3期。

55. 孔润年：《马克思"异化劳动"概念的伦理学意义——重读〈1844年经济学哲学手稿〉》，载《伦理学研究》2010年第5期。

56. 李一鸣：《作为美学之可能的"感性"——以马克思〈1844年经济学哲学手稿〉为分析对象》，载《武汉理工大学学报》（哲学社会科学版）2012年第2期。

57. 韩立新：《马克思的异化劳动理论究竟是不是循环论证》，载《学术月刊》2012年第3期。

58. 赵家祥：《〈1844年经济学哲学手稿〉在马克思主义哲学史上的地位》，载《学习与探索》2012年第6期。

59. 席捷、刘明侠、赵华朋：《马克思实践观的嬗变和自我超越——从〈手稿〉〈神圣家族〉到〈提纲〉的实践观发展轨迹》，载《探索与争鸣》2013年第1期。

60. 张都爱：《文本阐释与马克思主义美学本土化——以〈1844年经济学哲学手稿〉的美学阐释为中心的研究》，载《河南教育学院学报》（哲学社会科学版）2013年第2期。

61. 聂锦芳：《关于重新研究"巴黎手稿"的一个路线图》，载《马克思主义与现实》2013年第3期。

62. 鲁克俭：《马克思早期文本中的几个文献学问题》，载《杭州师范大学学报》（社会科学版）2013年第11期。

63. 侯才：《马克思"新唯物主义"的真正诞生地和秘密——纪念〈1844年经济学哲学手稿〉写作170年》，载《哲学动态》2014年第8期。

64. 张雷声：《马克思的第一部经济学著作的手稿——〈1844年经济学哲学手稿〉研读》，载《思想理论教育导刊》2014年第9期。

65. 丁立卿：《实践是人的本质"对象化"的"对象性"活动》，载《学术交流》2015年第5期。

66. 鲁克俭：《唯物史观"历史性"观念的引入——马克思〈1844年经济学哲学手稿〉中"异化"概念新解》，载《哲学动态》2015年第6期。

67. 张都爱：《回到对象性去重识美学问题——马克思〈1844年经济学—哲学手稿〉的美学意义》，载《理论探索》2015年第6期。

68. 卜祥记、丁颖：《感性活动：〈1844年经济学哲学手稿〉的核心成果与理论高度》，载《云梦学刊》2016年第2期。

69. 吴雄：《从〈手稿〉看马克思经济学和美学的内在联系》，载《理论探索》2016年第3期。

70. 王虎学：《马克思学说的"秘密和诞生地"——重读〈1844年经济学哲学手稿〉》，载《贵州师范大学学报》(社会科学版)2016年第3期。

71. 周嘉昕：《〈1844年经济学哲学手稿〉与"青年马克思"文

本群〉,载《广西师范大学学报》(哲学社会科学版)2016年第6期。

72. 张兴国、郑雪滢:《深入理解马克思〈1844年经济学哲学手稿〉中的共产主义思想》,载《湖北社会科学》2016年第12期。

73. 冯景源:《〈1844年经济学哲学手稿〉:马克思主义理论三者统一的"原生态"》,载《东南学术》2017年第1期。

74. 何萍:《20世纪以来马克思政治经济学研究的多维度展开——马克思〈1844年经济学哲学手稿〉、〈资本论〉新解》,载《天津社会科学》2017年第1期。

75. 周嘉昕:《唯物主义、辩证法、政治经济学批判——〈1844年经济学哲学手稿〉的重新发现》,载《江海学刊》2017年第3期。

76. 孙全胜:《论马克思〈1844年经济学哲学手稿〉的劳动美学观》,载《湖南行政学院学报》2017年第6期。

77. 徐春:《马克思〈1844年经济学哲学手稿〉的人学建构》,载《上海师范大学学报》(哲学社会科学版)2017年第4期。

78. 吴晓明:《论〈1844年经济学哲学手稿〉对思辨辩证法的批判》,载《复旦学报》(社会科学版)2018年第1期。

79. 张秀琴:《政治经济学批判与西方马克思主义——以1930—40年代对"巴黎手稿"的人本主义解读为例》,载《现代哲学》2018年第1期。

80. 张宝贵:《〈1844年经济学哲学手稿〉中的本体论生活美学思想初探》,载《中国人民大学学报》2018年第2期。

81. 凌继尧:《再论〈1844年经济学哲学手稿〉美学思想的研究》,载《艺术百家》2018年第3期。

82. 王虎学:《马克思的共产主义观——基于〈1844年经济学哲学手稿〉的解读》,载《学术研究》2018年第11期。

83. 秦步焕、王中汝:《马克思异化思想的演变探析——从〈1844年经济学哲学手稿〉到〈德意志意识形态〉和〈资本论〉》,载《科学社会主义》2019年第1期。

84. 周嘉昕:《从"〈神圣家族〉的准备材料"到〈1844年经济学哲学手稿〉——兼论梁赞诺夫对辩证唯物主义的理论贡献》,载《马克思主义与现实》2019年第1期。